DIBUJO:

SATOSHI YAMAMOTO

POKÉMON™

DIAMANTE Y PERLA

GUIÓN:

HIDENORI KUSAKA

LOS POSEEDORES DE LA POKÉDEX SON JÓVENES A LOS QUE UN EMINENTE CIENTÍFICO CONFÍA EL INDEXADOR POKÉMON. ¡¡LA SIGUIENTE HISTORIA TRATA SOBRE TRES DE ELLOS Y LOS POKÉMON QUE LOS ACOMPAÑAN, Y DE CÓMO CONVIVEN, PARTICIPAN EN COMBATES Y MADURAN A LO LARGO DE SUS AVENTURAS!!

LOS VERDADEROS GUARDAESPALDAS SE DAN CUENTA DE QUE LA SEÑORITA HA PARTIDO SIN ELLOS Y SALEN EN SU BÚSQUEDA. EL SINIESTRO EQUIPO GALAXIA CONTINÚA SUS OSCURAS MANIOBRAS EN LA REGIÓN DE SINNOH, PERO LA CONSTRUCCIÓN DE LA BOMBA GALÁCTICA ESTÁ PARALIZADA POR FALTA DE FINANCIACIÓN, ASÍ QUE PLANEAN SECUESTRAR A LA HIJA DE LOS BERLITZ Y PEDIR UN RESCATE ASTRONÓMICO. AL FRACASAR EN SUS PLANES DE SECUESTRO DECIDEN IR DIRECTAMENTE A POR EL PADRE. ¡AL ENTERARSE DE LA DESAPARICIÓN DEL SEÑOR BERLITZ LA SEÑORITA CORRE HACIA CIUDAD CANAL ACOMPAÑADA DE PERLA Y DIAMANTE! ¡AL LLEGAR ENTRAN EN UN GIMNASIO SOSPECHOSO Y AL MOMENTO SE DESATA UN COMBATE!

PAKA Y UJI

LOS VERDADEROS ARDAESPALDAS DE LA ORITA. HAN RECIBIDO EL ARGO DE PROTEGERLA.

SEBASTIÁN

EL MAYORDOMO DE LOS BERLITZ. ES SOBREPROTECTOR CON LA SEÑORITA.

SEÑOR BERLITZ

EL PADRE DE LA SEÑORITA. ES CIENTÍFICO Y AYUDANTE DEL PROFESOR SERBAL.

PROFESOR SERBAL

UNA AUTORIDAD EN EVOLUCIÓN POKÉMON. TIENE CARA DE POCOS AMIGOS.

MANANTI

LÍDER DE GIMNASIO DE PRADERA Y LUCHADOR ENMASCARADO.

FANTINA

LA FASCINANTE Y ENCANTADORA DANZARINA DE CIUDAD CORAZÓN.

ACERÓN

LÍDER DE GIMNASIO DE CIUDAD CANAL. ES EL PADRE DE ROCO, LÍDER DE PIRITA.

CINTIA

MUJER MISTERIOSA QUE PARECE QUE ESTÁ INVESTIGANDO ALGO.

HA LLEGADO EL DÍA EN QUE LA ÚNICA HIJA DE LA DISTINGUIDA FAMILIA BERLITZ DEBE EMPRENDE SU VIAJE HACIA LA CIMA DEL MONTE CORONA, LUGAR DONDE REUNIRÁ EL MATERIAL NECESARI PARA FABRICAR UN EMBLEMA CON EL ESCUDO FAMILIAR, TAL COMO MANDA LA TRADICIÓN. PO SU PARTE, PERLA Y DIAMANTE, CUYA AMBICIÓN ES CONVERTIRSE EN CÓMICOS, HAN GANADO E PREMIO ESPECIAL EN EL GRAND PRIX DE LA RIS DE CIUDAD JUBILEO. ¡POR ALGUNA EXTRAÑA RAZÓN LOS TICKETS DE VIAJE DEL PREMIO Y LA INSTRUCCIONES PARA LOS GUARDAESPALDAS DE SEÑORITA BERLITZ SE HAN INTERCAMBIADO! PERLA DIAMANTE HAN TOMADO A LA SEÑORITA POR U GUÍA TURÍSTICA Y ELLA A SU VEZ LOS HA TOMA POR SUS GUARDAESPALDAS. A CONSECUENCIA D MALENTENDIDO LOS TRES INICIAN UN LARGO VIAJE HACIA LA CIMA DEL MONTE CORONA.

HELIO

JEFE DEL EQUIPO GALAXIA. UN HOMBRE CON UNA ABRUMADORA E INTIMIDANTE PRESENCIA.

RECLUTAS

LOS SOLDADOS RASOS DEL EQUIPO GALAXIA. ACTÚAN DE MODO MISTERIOSO, COMO SI TUVIERAN UNA MENTE COLECTIVA.

SATURNO

APENAS DEJA EL EDIFICIO DEL EQUIPO GALAXIA. ES EL ENCARGADO DE LA BOMBA GALÁCTICA.

VENUS

COMANDANTE DEL EQUI GALAXIA. POSEE UN TEMPERAMENTO INESTAB

LOS POKÉMON DE DIAMANTE

WIG (TORTERRA ♂)

TIENE UNA NATURALEZA PLÁCIDA. ES MUY PERSEVERANTE.

MUNCH (MUNCHLAX ♂)

DE NATURALEZA AGITADA. LE ENCANTA COMER

PERAHIKO (CHATOT ♂)

DE NATURALEZA ACTIVA. ES UN POCO PAYASO.

LOS POKÉMON DE PERLA

CHIMHIKO (INFERNAPE ♂)

DE NATURALEZA PÍCARA. LE GUSTA CORRER.

PONYTA (PONYTA ♂)

DE NATURALEZA MODESTA. A MENUDO ESTÁ EN BABIA.

LOS POKÉMON DE LA SEÑORITA

EMPOLEON (EMPOLEON ♂)

DE NATURALEZA SERIA. A VECES SE ENFADA.

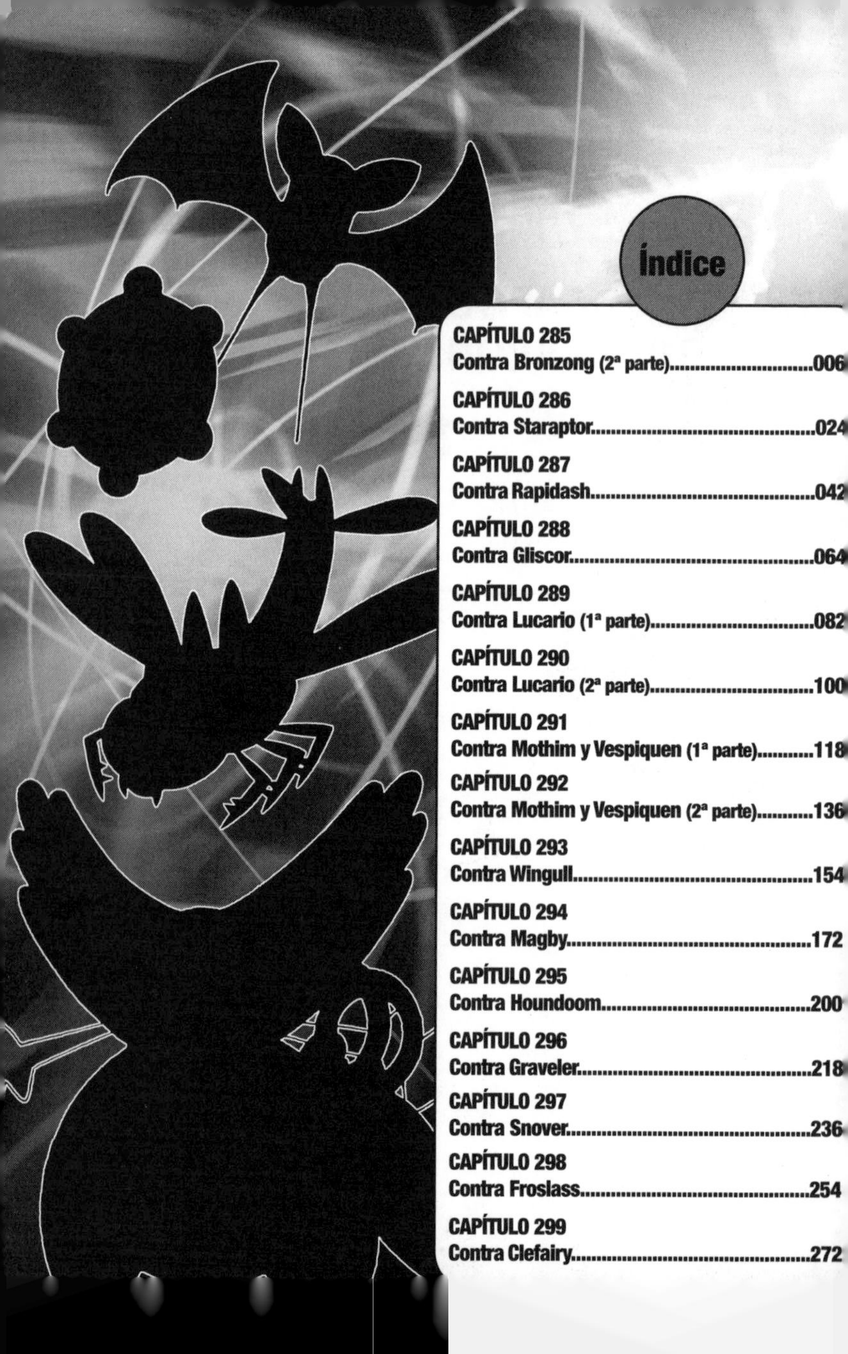

Índice

CAPÍTULO 285:
CONTRA BRONZONG (2ª parte)

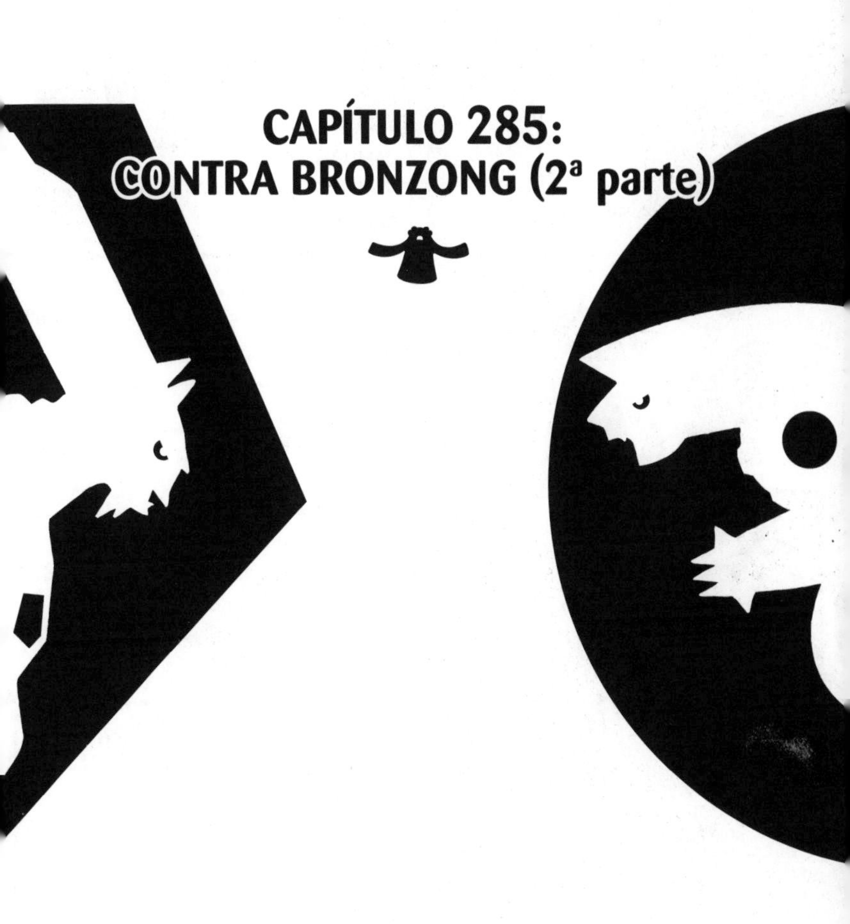

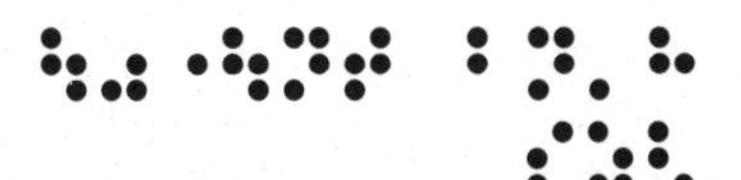

¡PA...!
¡¡PAPÁ!!
!!
ES...
¡¿EL PADRE DE LA SEÑORITA?!
¡ES CIERTO! ¡¡LO HABÍAN CAPTURADO!!
¡¡AH, PERLA!! ¡¡¿NO TE HAS DADO CUENTA...?!!

¿NO SON LAS PERSONAS CON LAS QUE CHOCAMOS EN CIUDAD JUBILEO?
UGH...
ZZZ...
UAAAH...
¡¡ESO ES!!
¡¡FUE ENTONCES CUANDO LOS TICKETS DEL VIAJE SE INTERCAMBIARON POR LAS INSTRUCCIONES DE LOS GUARDAESPALDAS!!
DESTINO DEL VIAJE: CIMA DEL MONTE CORONA
FECHA DE SALIDA: 28 DE SEPTIEMBRE, 17:00 HORAS
LUGAR DE ENCUENTRO: ENFRENTE DEL EDIFICIO JUBILEO
FUNCIÓN: ESCOLTA
REMUNERACIÓN: 1.000.000
¡¡SE INTERCAMBIARON...!!
¡¡AH...!!
¡¡SE INTERCAMBIARON!!
¡NO SOMOS LOS VERDADEROS GUARDAESPALDAS...!
¡¿DEBERÍAMOS EXPLICÁRSELO ANTES DE QUE LO DESCUBRA?!
¡¿AHORA?!
¡¿AHORA?!
¡¿CONTARLE TODA LA VERDAD A LA SEÑORITA...?!
¡NO ES EL MOMENTO!
¡HAN CAPTURADO AL PADRE DE LA SEÑORITA...!

¡¡ESTÁ CLARO!! ¡¡ESTE TIPO...
...DEBE DE SER EL SECUES-TRADOR!!
¡¡LI-BE-RA...
...A MI PA-DRE...!!
WOOOSH
¡¡HA NOQUEA-DO A LOS DOS DE UNA SOLA VEZ!!
¡¿PE... PERO QUÉ HA DI-CHO...?!

¡¿HA DICHO QUE ES SU PADRE?!
¡¡¡¡...
ES EL PAÑUELO QUE HA TIRADO LA CHICA...
¡¡AAAH!!
ME... ¡¡MEDALLAS DE GIMNASIO!!
FRUS FRUS

AHORA ME ACUERDO DE MI CONVERSACIÓN CON ROCO...
¡¡HAS PERDIDO CONTRA UNA ASPIRANTE BIEN RARA...!!
¡¡PUES SÍ, TODAVÍA TE FALTA MUCHA EXPERIENCIA!!
¡¡MI INTUICIÓN ME HA FALLADO!!
¡¡ESTOY ANTE UNA ENTRENADORA DE GRAN NIVEL...!! ¡¿CÓMO HE PODIDO COMETER UN ERROR ASÍ?!
¡¡ASÍ QUE...
...ME HE PUESTO A COMBATIR SIN DARME CUENTA DE LA CAPACIDAD REAL DE ESTOS CRÍOS!!
¡¡PAPÁ, ÉCHATE HACIA ATRÁS!!
¡UAH!
¡VOY A ABRIR ESTA JAULA...!
E... ¡ESPERA, ESPERA!
¡¡AÚN ESTAMOS INVESTIGANDO DE QUÉ CLASE DE MECANISMO SE TRATA Y CÓMO PODEMOS ABRIRLO!!
¡¡SI INTENTAS ABRIRLO POR LA FUERZA NO SABEMOS QUÉ PUEDE PASAR!!

¿QUE ESTÁS INVESTIGANDO CÓMO ABRIRLO...?
¡¡CURIOSAS PALABRAS VINIENDO DEL SECUESTRADOR!!
ZA
O... ¡¡OS EQUIVOCÁIS!!
¡¡SECUESTRADOR!!

¡UF...! ¡ME RINDO!
¡VAYA! ¡QUIÉN IBA A IMAGINAR QUE APARECERÍA NADA MENOS QUE LA HIJA DEL CIENTÍFICO...!

POR TUS ACCIONES ME QUEDA CLARO. ES CIERTO QUE ERES SU HIJA.
ENTONCES, EN ESE CASO...
...ESTAMOS EN EL MISMO BANDO.
BUENO, TENGO QUE VOLVER A PIRITA.
PAPÁ, HASTA QUE AVERIGÜEMOS LO QUE ESTÁ PASANDO INTENTA MANTENER LA CALMA.
NO VAYAS A DEJARTE LLEVAR POR TUS IMPULSOS, ¿EH?
¡¡TRANQUILO, HIJO, NO HAY DE QUÉ PREOCUPARSE!!
¡BUF! ¡¡YA ME PUEDO PREPARAR PARA OTRA DE LAS BRONCAS DE ROCO!!

?!!!
¡¿HMMM?!
SUPONGO QUE AHORA MISMO TE COSTARÁ CREERLO, PERO...
AQUÍ LA TENÉIS, SOY EL ENCARGADO DE CONCEDERLA...
¡ES LA MEDALLA MINA!
¡¿EEEEH?!
¡¿ESTO ES UN GIMNASIO?!
¡EXACTO!
¡Y YO SOY SU LÍDER!
¡EL LÍDER DE GIMNASIO DE CIUDAD CANAL!
¡MI NOMBRE ES ACERÓN!
SIENTO HABERME PUESTO A COMBATIR SIN COMPROBAR QUIÉNES ERAIS.
¡DIABLOS!
SI HUBIERA VISTO ANTES TU PAÑUELO, CON TODAS ESAS MEDALLAS...
...EL MALENTENDIDO SE HABRÍA RESUELTO MUCHO ANTES.
FUI
CHUC
¡PTOM!

¿ES CIERTO?
PE... ¿PERO...?

¡CLIC!

NO ESTÁ NADA UNIDO A MÍ, Y ESO QUE LO DEJO FUERA DE LA POKÉ BALL.
Y ASÍ ES COMO ME LO PAGA, NO HACE MÁS QUE CREARME PROBLEMAS.

¿ENTONCES QUÉ SIGNIFICA ESTO?
¡¿POR QUÉ UN LÍDER DE GIMNASIO IBA A QUERER CAPTURAR A MI PADRE Y AL PROFESOR SERBAL?!

HM...
EMPECEMOS POR EL PRINCIPIO...

HACE MEDIO AÑO APARECIÓ UN GRUPO SOSPECHOSO EN CIUDAD CANAL. NO PARABAN DE IR DE AQUÍ PARA ALLÁ. ME DABAN MUY MALA ESPINA.
COMO LÍDER DE GIMNASIO DE ESTA CIUDAD DECIDÍ INVESTIGARLOS Y AVERIGUAR QUÉ OCURRÍA.
LLAMÉ A MI HIJO PARA QUE ME AYUDARA CON SU HABITUAL AGUDEZA.

TAMBIÉN LO HABÉIS COMBATIDO: ES ROCO, EL LÍDER DE GIMNASIO DE PIRITA.
¡OH!

NO DETECTAMOS MOVIMIENTOS DE IMPORTANCIA, ASÍ QUE ROCO VOLVIÓ Y YO BAJÉ LA GUARDIA.
ENTONCES, TRAS UNOS DÍAS, ME TOPÉ CON UNA ESCENA ALARMANTE.
TODO HA SALIDO BIEN, SEÑOR BERLITZ.
LO HEMOS CONFIRMADO, EL ENVÍO DE LA SUMA HA LLEGADO SIN PROBLEMAS A NUESTRO CUARTEL GENERAL.
ESTA INYECCIÓN DE CAPITAL NOS PERMITIRÁ COMPLETAR LA BOMBA GALÁCTICA.
SU FORTUNA SERVIRÁ PARA CONSTRUIR UN UNIVERSO NUEVO, SEÑOR BERLITZ. DEBERÍA SENTIRSE HONRADO...
¡¡¿CUÁNDO VAIS A LIBERAR A MI HIJA?!!
POR FAVOR, A NINGUNO DE LOS DOS NOS CONVIENE MONTAR UN ESCÁNDALO.
ZAM
¡¡¿QUÉ ESTÁ PASANDO AQUÍ?!!

¡¡SOY ACERÓN, LÍDER DE GIMNASIO DE CIUDAD CANAL!!
¡¡Y NO VOY A PERMITIR QUE EL CRIMEN CAMPE A SUS ANCHAS POR MI CIUDAD!!
¡¿QUIÉN ERES TÚ?!
NO CREO QUE ESTÉ OBLIGADO A RESPONDER A ESA PREGUNTA.
¡¿CÓMO HAS DICHO?!
¡¡EH, EH!!
¡¿NO TE ESTÁS RETRASANDO MUCHO, BERLITZ?!
¡¿PERO HASTA DÓNDE HAS IDO A RECOGER ESO QUE SE TE HA OLVIDADO...?!
¡¡PROFESOR!!
¡¡¿MÁS ESTORBOS?!! ¡¡ESTO ES DEMASIADO!!
FRZZZUM
¡HACED EL FAVOR! ¡¡PORTAOS BIEN Y NO SALGÁIS DEL CUBO!!

CUANDO ME DI CUENTA HABÍA DESAPARECIDO Y LOS DOS ESTABAN ENCERRADOS EN ESA ESPECIE DE JAULA...
Y AHÍ ESTÁN DESDE ENTONCES.

ENTONCES LA TRAJE A MI GIMNASIO Y ME PUSE A INVESTIGAR LA MANERA DE ABRIRLA.
PERO CUANTO MÁS LA ESTUDIO, MÁS PERDIDO ESTOY.
SE LOS PUEDE VER, AUNQUE NO SE OYE NADA DE LO QUE HABLAN.
PERO
LA SEÑORITA HA OÍDO LA VOZ DE SU PADRE. POR ESO HEMOS VENIDO HASTA AQUÍ.
¡SÍ, SIN NINGUNA DUDA! ¡LA HE OÍDO CLARAMENTE!

¡Y AHORA ALCANZO A DISTINGUIR SUS VOCES!
¡ES VERDAD!
¿SERÁ QUE LA INTENSIDAD DE LA BARRERA DISMINUYE CON EL TIEMPO?
¡¿PUEDES OÍRME?!
TU VOZ VA HACIÉNDOSE POCO A POCO MÁS NÍTIDA...

...
¿ME OYES?
¡SÍ!
¡¡TE OIGO, PAPÁ!!
¡¿ESTÁS BIEN?!
¡NO SABES LO PREOCUPADO QUE ESTABA!
CUANDO SUPE LO DE TU SECUESTRO...
...DE PRONTO TODO SE VOLVIÓ OSCURO.
AUN PONIÉNDOTE LOS MEJORES GUARDAESPALDAS PROFESIONALES EL ENEMIGO PUDO CON ELLOS...
TE HAN HECHO DAÑO, ¿NO?
?
PAPÁ, NO TE ENTIENDO BIEN.
NADIE ME HA SECUESTRADO, NADIE ME HA HECHO NINGÚN DAÑO.

BU-BUM
PAPÁ, LOS DOS GUARDAESPALDAS QUE CONTRATASTE ME HAN PROTEGIDO DESDE QUE SALIMOS,
Y GRACIAS A ELLOS HE CONTINUADO MI VIAJE SIN CONTRATIEMPOS.
BU-BUM
BU-BUM
LOS DOS SON MUY PROFESIONALES,
TENGO MÁXIMA CONFIANZA EN ELLOS... ME HAN PROTEGIDO DE TODA CLASE DE PELIGROS.
¿CÓMO?
¿A QUÉ TE REFIERES?
¿QUIÉNES SON ESOS DOS?
¿QUIÉNES SON ESOS CHICOS...?

¡¡SEÑORITA!!
¡¡ESCÚCHANOS!! ¡¡NOSOTROS...!!
¡¡NO SOMOS GUARDAESPALDAS DE VERDAD!!
¿EH?
LO CIERTO ES QUE...
NO TENEMOS EL MÁS MÍNIMO ENTRENAMIENTO, SOLO SOMOS DOS CHICOS NORMALES.
...TUS GUARDAESPALDAS DESAPARECIERON EN CIUDAD ROCAVELO. LAS TROPAS DE UNA EXTRAÑA ORGANIZACIÓN DISPARARON SOBRE ELLOS UN RAYO Y UNA MISTERIOSA LUZ SE LOS TRAGÓ... DELANTE DE NUESTROS OJOS...
EMPEZAMOS A VIAJAR CONTIGO POR UNA CONFUSIÓN, PERO AHORA ES DISTINTO...
¡¡CRÉENOS, SEÑORITA!!

¡¡TE PROTEGEREMOS HASTA LLEGAR A TU DESTINO!! ¡¡NUESTRO JURAMENTO ES SINCERO!!

¡DIA Y YO SEGUIREMOS PROTEGIÉNDOTE Y ENTRENÁNDOTE COMO...!
U... ¡UN MOMENTO!

EEEH...
HM...
EEER...
AH...
UH...

ME ALEGRO DE QUE MI PADRE Y EL PROFESOR SERBAL ESTÉN BIEN, PERO
NO PUEDO CREERLO... UH... LA CABEZA ME DA VUELTAS...
NO ACABO DE ENTENDER MUY BIEN LO QUE ACABÁIS DE DECIR...
¿HABLÁIS EN SERIO?

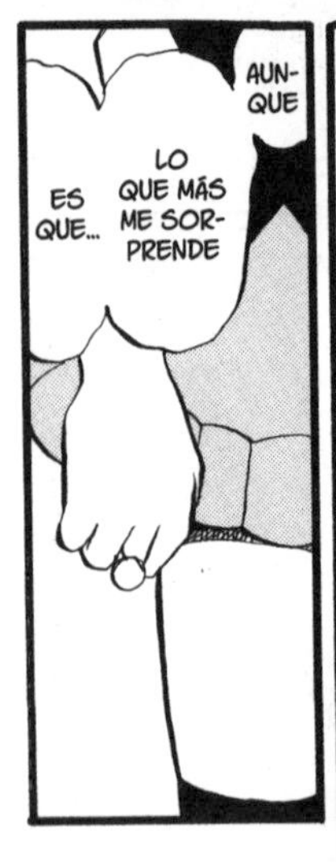
AUNQUE
LO QUE MÁS ME SORPRENDE
ES QUE...

...ME HABÉIS ESCONDIDO
LA VERDAD DE LO QUE ESTABA PASANDO.
VOSOTROS... EN QUIENES HABÍA DEPOSITADO MI CONFIANZA...
SOIS UNOS EMBUSTEROS.
DASH
¡¡ESPERA!!
¡¡¿ADÓNDE VAS?!!
¡¡SEÑORITA!!
¡¡SEÑORITA-AAA!!

MAPA DE LA AVENTURA
CIUDAD CANAL
PIRITA
CONTRA ROCO
MEDALLA LIGNITO
VETUSTA
CONTRA GARDENIA
MEDALLA BOSQUE
ROCAVELO
CONTRA BREGA
MEDALLA ADOQUÍN
PRADERA
CONTRA MANANTI
MEDALLA CIÉNAGA
CORAZÓN
CONTRA FANTINA
MEDALLA RELIQUIA
DIAMANTE
PERLA
WIG
TORTERRA ♂
MUNCH
MUNCHLAX ♂
CHIMHIKO
INFERNAPE ♂
PERAHIKO
CHATOT ♂
EMPOLEON
EMPOLEON ♀
PONYTA
PONYTA ♂

CAPÍTULO 286: CONTRA STARAPTOR

EDIFICIO GALAXIA EN CIUDAD ROCAVELO.
SHUUU
FSHIIIN
TENGO QUE RECONOCER QUE HA SIDO RÁPIDO.
SEÑOR HELIO...
GRACIAS A LOS FONDOS QUE HAS RECAUDADO...
...HEMOS LOGRADO COMPLETAR LA BOMBA GALÁCTICA.
¿CÓMO VAN LOS ÚLTIMOS DETALLES?
BIEN, SEÑOR.
QUEDA PENDIENTE ELEGIR EL PUNTO EXACTO PARA SU INSTALACIÓN.
TAMBIÉN DEBEMOS HACER LA SIMULACIÓN DE CAPTURA Y OCUPARNOS DEL TRANSPORTE...
EN TOTAL, UNA SEMANA.

MUY BIEN, ENTONCES
QUE SEA LA PRÓXIMA SEMANA.
¡¡EL PRÓXIMO SÁBADO DETONAREMOS LA BOMBA GALÁCTICA!!

CIUDAD CANAL

¿CREES QUE LA SEÑORITA SE ENCONTRARÁ BIEN?
HAN PASADO OCHO HORAS Y SIGUE AHÍ.
NO CREO QUE SEA NADA MUY GRAVE, SIMPLEMENTE NO QUIERE ESTAR CON NOSOTROS.
PERO
SU PADRE SIGUE AHÍ ENCERRADO...
...ASÍ QUE NO SE VA A IR MUY LEJOS.
AL MENOS DEBERÍAMOS HABLAR CON ELLA...
¡¡DÉJALO, DIA!!
CHAC
LE HEMOS HECHO DAÑO A LA SEÑORITA.
¡NO HAY NADA QUE PODAMOS HACER!
¡¡AHORA NO HAY MANERA DE ARREGLARLO!!
¡¡...!!
ADEMÁS, ACERÓN HA IDO A HABLAR CON ELLA.
NO TE SIGAS HACIENDO MALA SANGRE.
VENGA, YA ES HORA DE VOLVER AL GIMNASIO.

¿MI PADRE
Y EL PROFESOR SERBAL QUIEREN DECIRME ALGO?
IMAGINO QUE ES SOBRE MI VIAJE.

PUES SÍ.
HAN DICHO QUE DEBES ABANDONARLO.

...
ES
DEMASIADO PELIGROSO.

EL HOMBRE QUE HA ENCERRADO A TU PADRE EN ESE CUBO DIJO QUE ERA DEL EQUIPO GALAXIA.

ESAS SABANDIJAS ENGAÑARON A TU PADRE, LE DIJERON QUE TE HABÍAN SECUESTRADO.

MIENTRAS SIGAN HACIENDO DE LAS SUYAS NO PUEDE DARTE PERMISO PARA SEGUIR ADELANTE.

NO SERÁ HASTA QUE TODO ESTO HAYA TERMINADO.

Y SI INSISTES EN PROSEGUIR CON TU VIAJE

PERO EN ESE CASO...

SI LOGRAMOS SACAR DE AHÍ DENTRO A TU PADRE Y AL PROFESOR SERBAL
LO MEJOR SERÁ QUE VOLVÁIS JUNTOS A PUEBLO ARENA.
¿Y ESOS DOS?
NO...
ELLOS NO. ES UNA PENA, PERO AQUÍ SE SEPARAN VUESTROS CAMINOS.
TAMBIÉN DEBEN VOLVER A SUS CASAS.

EN TODO CASO, YA HA ANOCHECIDO.
SI VOLVER ADENTRO TE RESULTA INCÓMODO
EL GIMNASIO TIENE DORMITORIO, PUEDES PASAR LA NOCHE ALLÍ.

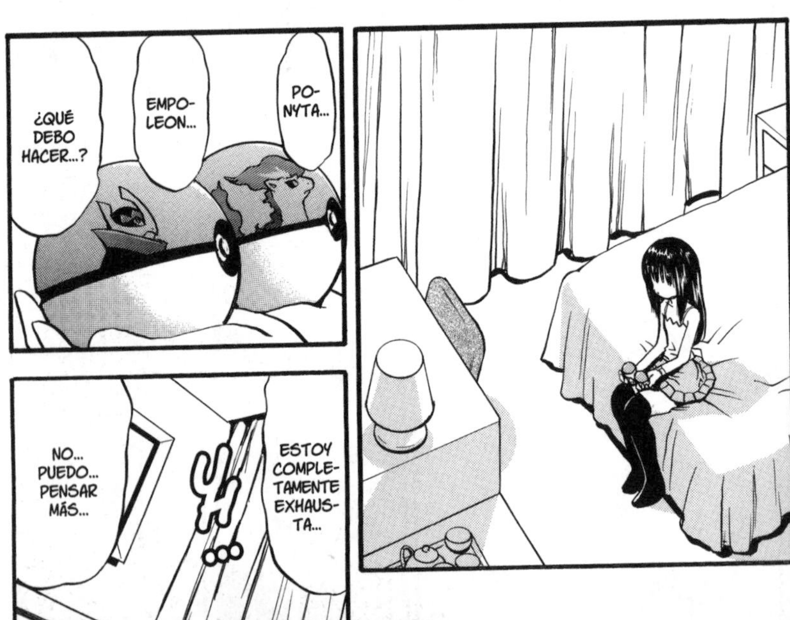
PONYTA...
EMPOLEON...
¿QUÉ DEBO HACER...?
ESTOY COMPLETAMENTE EXHAUSTA...
NO... PUEDO... PENSAR MÁS...

AH, ESTÁS DORMIDA...
HA HABIDO SUERTE.
SI ME HUBIERAS VISTO NO HABRÍA TENIDO MÁS REMEDIO QUE COMBATIR CONTIGO.
Y ESO ES ALGO QUE QUERÍA EVITAR COMO FUERA... JU, JU... EN TODO CASO...
...SI HEMOS COMPLETADO LA BOMBA GALÁCTICA HA SIDO GRACIAS A TI.
HE VENIDO ESTA NOCHE PARA LIBERAR A TU PADRE, PERO TAMBIÉN QUERÍA VER A LA HIJA.
AL FIN Y AL CABO TU SECUESTRO FICTICIO NOS HA PERMITIDO FINALIZAR EL PROYECTO CON ÉXITO.
EL PODER DEL CUBO HABRÍA DESAPARECIDO POR LA MAÑANA.
SOLO QUERÍA RETENERLOS HASTA TENER COMPLETADA LA BOMBA GALÁCTICA.
FSHUM
NADIE TIENE POR QUÉ SUFRIR INNECESARIAMENTE.

YA QUE ESTOY AQUÍ TE LO CONTARÉ...
...POR EL BIEN DE NUESTRO FUTURO.
FLU
NUESTRA INTENCIÓN ES CAPTURAR A LOS TRES POKÉMON LEGENDARIOS DE SINNOH: AZELF, UXIE Y MESPRIT.
LANZAREMOS LA BOMBA GALÁCTICA PARA DESECAR LOS TRES LAGOS.
NUESTRO PLAN SE EJECUTARÁ DENTRO DE UNA SEMANA.
EL PRÓXIMO SÁBADO.

PIRRIP
PIRRIP
PÍO PÍO

...

CLAC

SCRECH
SCRECH

SCRECH
SCRECH
SCRECH

BUENO, SEÑOR ACERÓN, VOLVEMOS A CASA...

TAMBIÉN QUERÍAMOS PEDIR PERDÓN AL PADRE DE LA SEÑORITA Y AL PROFESOR SERBAL POR TODO LO OCURRIDO.

¿OS VAIS A IR SIN DESPEDIROS DE ELLA?

AH, PUES...
¡NO PASA NADA!

VERNOS DE NUEVO SOLO LA HARÍA SUFRIR,
DÍGANLE QUE ESPERAMOS QUE LE VAYA BIEN.

¡CONTRÓLATE, DIA!

ANOCHE SE LO CONTAMOS TODO.
LO DE LAS TROPAS ESPELUZNANTES...
LO DEL HOMBRE QUE IRRUMPIÓ EN LAS RUINAS DE CAELESTIS
Y SACÓ FOTOS A LAS PINTURAS...
HEMOS CUMPLIDO NUESTRA OBLIGACIÓN COMO TESTIGOS.

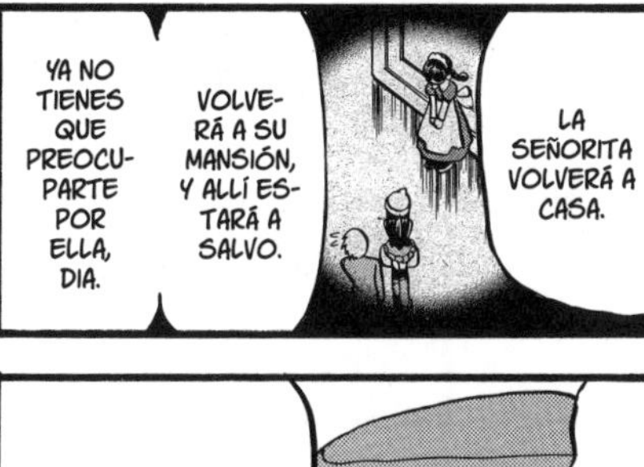
LA SEÑORITA VOLVERÁ A CASA.
VOLVERÁ A SU MANSIÓN, Y ALLÍ ESTARÁ A SALVO.
YA NO TIENES QUE PREOCUPARTE POR ELLA, DIA.

A PARTIR DE AHORA
LA RESPONSABILIDAD ES DE OTROS.
ESTARÍAMOS METIÉNDONOS DONDE NO NOS LLAMAN.

¡PERLA!
¡YA LO ENTIENDO, PERO ES QUE PARA MÍ ES DURO!

ES DURO...
...PERO NOS LO MERECEMOS POR HABERLA HECHO SUFRIR.
...
¿CÓMO NOS LLAMÓ? ¿"EMBUSTEROS"?
PUES SI LO PIENSAS TIENE TODA LA RAZÓN...
AH, Y ESTO...
TAMBIÉN HAY QUE DEVOLVER TODO ESTO.
NINGUNO DE ESTOS APARATOS ERA PARA NOSOTROS.
DIA...
AQUÍ TIENEN...
SE LO DEVOLVEMOS...
BIP
BIP
BIP
BIP
BIP
BIP
BIP
!!
BIP
BIP
BIP
BIP
BIP

SE...
BIP
¡¡SEÑORITA!!
PAPÁ, PROFESOR SERBAL...
HE ESTADO PENSANDO EN LO QUE HABÉIS DICHO.
DIAMANTE...
PERLA...
TAMBIÉN HE PENSADO EN LO QUE CONFESASTEIS AYER.
AUNQUE
NADIE HA ESCUCHADO LA OPINIÓN DE LA PRINCIPAL INTERESADA.
Y CLARO, ESA PERSONA
SOY YO.
LA VERDAD...
...ES QUE ME CUESTA EXPRESARLO, POR ESO HE ESCRITO ESTE TEXTO QUE OS VOY A LEER.
AYER HUI DE VOSOTROS.
NO PODÍA CREER LO QUE OÍA. LA VERDAD ME PARECÍA INTOLERABLE Y ME HE PASADO LA NOCHE PENSANDO QUE YA NO PODÍA CONFIAR EN NADIE.

PERO LUEGO RECORDÉ LAS COSAS QUE HEMOS VIVIDO EN ESTE VIAJE...
AHORA ME DOY CUENTA DE QUE...
...HA SIDO GENIAL.
HA SIDO UN VIAJE ESTUPENDO.

HE PODIDO EXPERIMENTAR MUCHAS COSAS QUE SOLO CONOCÍA POR LOS LIBROS.
Y TODO GRACIAS A QUE
HABÉIS HECHO TODO CUANTO ESTABA EN VUESTRA MANO PARA PROTEGERME DEL PELIGRO.
PERLA...
DIAMANTE...

OS HE LLAMADO EMBUSTEROS, PERO PENSÁNDOLO BIEN...
...TENGO QUE RECONOCER QUE YO TAMBIÉN SOY UNA MENTIROSA.

EN LA MINA PIRITA, CUANDO ME PREGUNTASTEIS SI ENTRENABA PARA CAVAR, DIJE QUE NO.
OTRA MENTIRA.
EN EL HOTEL DE CIUDAD JUBILEO ME REÍ, AUNQUE DIJE QUE NO LO HABÍA HECHO.
POR SUPUESTO, ERA MENTIRA.
EN LA VIEJA MANSIÓN, CUANDO OÍ EL CHISTE DE DIA SOBRE LOS HELADOS, ME VOLVÍ A REÍR, AUNQUE DIJE QUE NO LO HABÍA HECHO.
UNA NUEVA MENTIRA.
CUANDO INTENTÉ MONTAR EN BICI ERA OBVIO QUE NO SABÍA MONTAR, PERO ME EMPEÑÉ EN DECIR QUE SÍ.
ESA ERA UNA MENTIRA OBVIA.
ESTABA SEGURA DE HABER PERDIDO LA POKÉDEX EN EL CASINO DE CIUDAD ROCAVELO, PERO LO OCULTÉ.
JEVO, TIRA.

EN EL CONCURSO DE CIUDAD CORAZÓN DIJE QUE RENUNCIABA PORQUE ME ESTABAN SABOTEANDO, PERO EN REALIDAD QUERÍA ABANDONAR PORQUE NO TENÍA CONFIANZA EN MÍ MISMA.
UNA MENTIRA SUTIL.
DIJE QUE LA MANSIÓN DEL SEÑOR FORTUNY ERA UN HOTEL, PERO EN REALIDAD NO LO HABÍA COMPROBADO.
POR SUPUESTO NO ERA VERDAD.

EN ESTOS 25 DÍAS NO HE DEJADO DE MENTIROS.
ME DABA VERGÜENZA RECONOCERLO.

LO SIENTO, NO LO VOLVERÉ A HACER.
FIU
A PARTIR DE AHORA SERÉ SINCERA.

Y AHORA
LO QUE SIENTO
ES...

...QUE QUIERO CONTINUAR MI VIAJE
CON VOSOTROS.
NO CREO QUE HAYA NADIE MEJOR PARA AFRONTAR LA CRISIS DE SINNOH.

A MIS DOS CABALLEROS...
PLATINO BERLITZ
PAPÁ...
PROFESOR...
SEÑOR ACERÓN...
¡VOY A CONTINUAR EL VIAJE
Y COMBATIRÉ EL MAL QUE AMENAZA SINNOH!
¡¡EN UNA SEMANA VAN A DETONAR LA BOMBA GALÁCTICA!!
¡¡ALGUIEN TIENE QUE PROTEGER A LOS TRES POKÉMON LEGENDARIOS!!
¡¡Y ESE ALGUIEN SOY YO!!

MAPA DE LA AVENTURA
CIUDAD CANAL
PIRITA
CONTRA ROCO
MEDALLA LIGNITO
VETUSTA
CONTRA GARDENIA
MEDALLA BOSQUE
ROCAVELO
CONTRA BREGA
MEDALLA ADOQUÍN
PRADERA
CONTRA MANANTI
MEDALLA CIÉNAGA
CORAZÓN
CONTRA FANTINA
MEDALLA RELIQUIA
DIAMANTE
PERLA
WIG
TORTERRA ♂
MUNCH
MUNCHLAX ♂
CHIMHIKO
INFERNAPE ♂
PERAHIKO
CHATOT ♂
EMPOLEON
EMPOLEON ♀
PONYTA
PONYTA ♂

CAPÍTULO 287: CONTRA RAPIDASH

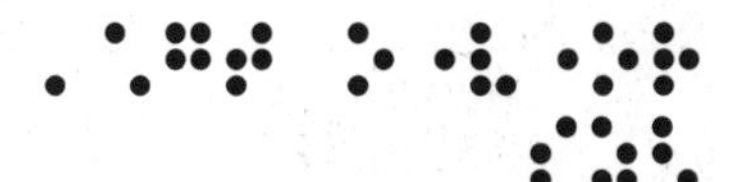

¡¡EN UNA SEMANA VAN A DETONAR LA BOMBA GALÁCTICA!!
¡¡ALGUIEN TIENE QUE PROTEGER A LOS TRES POKÉMON LEGENDARIOS!! ¡¡Y ESE ALGUIEN SOY YO!! ¡¡PLATINO BERLITZ!!
¡¡LO HARÉ YO
JUNTO CON
DIAMANTE...
...Y PERLA!!
QUÉ... ¡¿QUÉ SIGNIFICA ESTO?!
¡¡PLATINO!!
BLOF
¡¡OH!!
PTOM
PAF
¡CUIDADO!
DESPUÉS DE VARIOS DÍAS ENCERRADOS NUESTRAS PIERNAS ESTÁN DÉBILES...
PLATINO...
¡¡RECAPACITA, POR FAVOR!!
¡¡NO PUEDO DARTE PERMISO PARA ALGO ASÍ!!
¡¡ES DEMASIADO PELIGROSO!!

ESTA VEZ DEBO SEGUIR ADELAN-TE...
ZU
¡¡NADIE ME VA A DETE-NER!!
NI SIQUIE-RA...
BLUB BLUB
BLORB BLORB
¡¡NI SIQUIERA MI PA-DRE!!
SHUUU

LO DIJO ALGUIEN QUE ANOCHE ENTRÓ EN MI CUARTO MIENTRAS DORMÍA...
¡PIENSAN EVAPORAR EL AGUA DE LOS TRES LAGOS
PARA CAPTURAR A AZELF, UXIE Y MESPRIT!
¡Y VAN A HACERLO DENTRO DE UNA SEMANA!
¡¡ESTOY CONVENCIDA DE QUE SON LOS MISMOS QUE HAN EXTORSIONADO A MI PADRE!!
¡¡EL EQUIPO GALAXIA!!
!!
¡¡NO PODEMOS DEJAR...
...QUE SIGAN ADELANTE CON SUS PLANES!!
PLA... ¡¡PLATINO!! ¡NO SABES LO QUE ESTÁS DICIENDO! ¡¿ACASO PRETENDES ENFRENTARTE A ELLOS TÚ SOLA?!
¡¿CREES QUE TIENES PODER PARA DETENER A UNA ORGANIZACIÓN COMO ESA?!
¡¡SE NECESITA UN ENORME PODER PARA COMBATIR A UN GRUPO TAN TEMIBLE!!
...
ZAS

¡¡POM!!

¡SE-
ÑORI-
TA!
¡¡ESTÁ
USANDO
PARA-
NORMAL!!
SWOSH

FSHUUUM
QUÉ...
¡¡¿QUÉ
ESTÁ
HACIEN-
DO?!!
COMO
ACABA DE
VER, SU HI-
JA DISPONE
DE PODER
SUFICIEN-
TE.

NO ESPERABA MENOS DE ALGUIEN CON SEIS MEDALLAS.
¡SÍ, SÍ! ¡SEIS! PORQUE TAMBIÉN HE AÑADIDO LA MÍA.
AYER TUVIMOS UN COMBATE MAGNÍFICO Y ME DERROTASTE. SU VALOR ES EL MISMO QUE EL DE CUALQUIER OTRO COMBATE DE GIMNASIO.
¡¡SEÑOR ACERÓN, NO ESTARÁ USTED INSINUANDO QUE...!!
SÍ.
SIMPATIZO CON LA DETERMINACIÓN DE ESTA MUCHACHA.
PIENSO QUE DEBERÍA IR.
ES... ¡ES RIDÍCULO! ¡¿CÓMO VA MI HIJA A COMBATIR A UNA ORGANIZACIÓN CRIMINAL?!
¡¡ALGO ASÍ DEBE PONERSE EN MANOS DE LA POLICÍA!!
SEÑOR BERLITZ,
¿SABE POR QUÉ EN LUGAR DE ENTREGARLE EL CUBO A LA POLICÍA LO TRAJE AQUÍ AL GIMNASIO?
EL ENEMIGO ES DEMASIADO PODEROSO.
ESTO ES DEMASIADO GRANDE PARA LA POLICÍA...
QUIZÁ SI SE HICIERA CARGO LA POLICÍA INTERNACIONAL SERÍA OTRA COSA, PERO...

EN TODO CASO, LOGRAR SEIS MEDALLAS EN 25 DÍAS ES ALGO IMPRESIONANTE.
VAS CAMINO DE SUPERAR EL RÉCORD OBTENIDO EN HOENN
DE OCHO MEDALLAS EN OCHENTA DÍAS.

...
ADEMÁS,
LA DETERMINACIÓN DE ESTA MUCHACHA ME HA RECORDADO AL DÍA EN QUE MI HIJO ANUNCIÓ QUE IBA A CONVERTIRSE EN LÍDER DE GIMNASIO.

LOS HIJOS CRECEN MÁS RÁPIDO DE LO QUE LOS PADRES IMAGINAN.
TODO OCURRE EN UN ABRIR Y CERRAR DE OJOS.

HMMM...
SI PLATINO TIENE TAL PODER Y ESTÁ TAN CONVENCIDA
SUPONGO QUE PODRÍAMOS DEJAR QUE INVESTIGUE EL ASUNTO...
¡PROFESOR SERBAL...!

...

...
¿NO PUEDO HACER NADA PARA QUE CAMBIES DE OPINIÓN?
NO.
ESTO ES MUY DURO...
PERO...
PLATINO...
...TAMBIÉN ES LA PRIMERA VEZ QUE TE VEO DISCULPARTE DE MODO SINCERO.
ASÍ QUE SOIS DIAMANTE Y PERLA, ¿EH?
YOH...
S... SÍ...

ANTES DE QUE NOS SEPAREMOS QUIERO DEVOLVEROS ESTO.
OS LOS QUITASTEIS AL LLEGAR AL GIMNASIO.

LOS PAÑUELOS ROJO Y VERDE...
SEBASTIÁN, NO TE OLVIDES DE DECIRLE A PLATINO QUE LOS GUARDAESPALDAS LLEVARÁN UN PAÑUELO ROJO Y VERDE.
ENTENDIDO, SEÑOR.
LOS DOS LLEVABAIS ESOS DOS COLORES POR CASUALIDAD,
ES POR ESO QUE MI HIJA OS TOMÓ POR SUS GUARDAESPALDAS.

AUNQUE VIENDO CÓMO HAN SALIDO LAS COSAS...
CREO QUE DEBERÍA ESTAR AGRADECIDO A ESE AZAR...

CUALQUIER PADRE SE VERÍA GRATAMENTE SORPRENDIDO AL DESCUBRIR TAN CAMBIADA A SU HIJA...
TENGO QUE RECONOCERLO.
¡¿ESTÁ DÁNDONOS SU APROBACIÓN?!

MUCHAS GRACIAS.
ZAS

BIEN, TENÉIS NUESTRO PERMISO, PERO NO OS PONGÁIS EN PELIGRO.
Y NO DEJÉIS DE INFORMAR DE TODO LO QUE OCURRE EN LOS TRES LAGOS.

¡¡CLARO!!

ANTES DE QUE OS VAYÁIS DEJADME UN MOMENTO VUESTRAS POKÉDEX.
¿PARA QUÉ?
CLAC
CLAC

¡UNA ACTUALIZACIÓN!
CLAC
HE AÑADIDO DOS FUNCIONES NUEVAS.

LA PRIMERA:
AL ENCONTRARSE CON UN POKÉMON SIMILAR
SE INDICAN DIFERENCIAS COMO LOS RASGOS DE GÉNERO.
Y UNA MÁS.
AHORA PUEDE REGISTRARSE LA INFORMACIÓN DE TIPOS DE POKÉMON DE OTRAS REGIONES
QUE NO APARECÍAN EN LA POKÉDEX DE SINNOH.
¡¡ESO ES ESTUPENDO, PROFESOR SERBAL!!
HEMOS TENIDO SUERTE PORQUE
LA ACTUALIZACIÓN ACABA DE COMPLETARSE DURANTE EL CONGRESO POKÉMON.

EL EQUIPO QUE RECIBISTEIS NO ESTABA DESTINADO A VOSOTROS,
PERO VAMOS A CAMBIAR ESO...
OS HAGO ENTREGA OFICIAL DE LA POKÉDEX Y EL POKÉ-RELOJ. DESDE HOY SOIS SUS PORTADORES LEGÍTIMOS.

MUY BIEN.
¡AQUÍ TENÉIS!

LOS LAGOS DE SINNOH SON TRES:
EL LAGO VALOR, EL LAGO VERAZ Y EL LAGO AGUDEZA.
TENDREMOS QUE DECIDIR A CUÁL VAMOS PRIMERO...
¡ASÍ ES!
U... UN MOMENTO... PERO...
MAPA DE

SEÑORITA, AYER DIJISTE QUE EL PLAN SE VA A EJECUTAR DENTRO DE UNA SEMANA, ¿NO?
ENTONCES NO HAY TIEMPO. ¡SI VAMOS JUNTOS, PARA CUANDO VISITEMOS LOS TRES LAGOS SERÁ DEMASIADO TARDE!
LAGO AGUDEZA
CIUDAD CANAL
LAGO VERAZ
LAGO VALOR

¡¡DIA TIENE RAZÓN!! ¡¡NO NOS VA A DAR TIEMPO!!
¡¡¿Y AHORA QUÉ HACEMOS?!!

¿ENTONCES HABRÁN CONSTRUIDO VARIAS BOMBAS GALÁCTICAS?
PUES...
TENIENDO EN CUENTA LA ENORME CANTIDAD DE DINERO QUE HAN PEDIDO COMO RESCATE
Y EL NÚMERO DE LAGOS, YO DIRÍA QUE LO LÓGICO SERÍA QUE FUERAN TRES BOMBAS.
ZU ZU

¡¡RAYOS!!
¡¡SEGURO QUE PLANEAN VOLAR LOS TRES LAGOS LANZANDO LAS TRES A LA VEZ!!
¡¡NO PODEMOS IR A LOS LAGOS DE UNO EN UNO!!

¡¡DEMONIOS!! ¡¡¿Y AHORA QUÉ HACEM...?!!
POM
¡UAH...!

AH, LA CINTA DEL SUPERCONCURSO DE CIUDAD CORAZÓN.
¡QUÉ ORGULLOSA ESTÁS! ¡LA VERDAD ES QUE TE ESFORZASTE AL MÁXIMO!

ME PREGUNTO QUÉ TAL ESTARÁ EL PRESIDENTE DE LA ASOCIACIÓN POKÉMON.

ERA UN TIPO BASTANTE EXTRAÑO, PERO DE VEZ EN CUANDO DECÍA COSAS RAZONABLES.

PUEDE QUE NO TENGÁIS MUCHO TIEMPO, PERO...

SI OS REPARTÍS BIEN EL TRABAJO...

ESO ES...
NO TENEMOS TIEMPO...
¡PERO PODEMOS REPARTIRNOS!

¡¡SOMOS UN EQUIPO DE TRES, ¿VERDAD?!!
SUP
¡TRES LAGOS...
...PARA TRES PERSONAS!
¡¡CADA UNO DE NOSOTROS IRÁ A UNO DE LOS LAGOS...!!
¡¡ASÍ PROTEGEREMOS A LOS POKÉMON LEGENDARIOS!!
PAH
¡¡SÍ!!

DESPUÉS DE DISCUTIRLO LOS TRES HAN DECIDIDO...
QUE PERLA VAYA AL LAGO VALOR...
PLATINO AL LAGO AGUDEZA...

Y A MÍ ME TOCA IR HASTA EL LAGO VERA...
CHAC
UN MOMENTO...
VEN CONMIGO, DIA...
¿EH?
¿EH?
RUS RUS RUS

¡¿UN BARCO...?!
MAR DE SINNOH
ESE BARCO ZARPA MAÑANA A LA UNA.
TÚ IRÁS EN ÉL. TE ESTÁ ESPERANDO UN MAESTRO QUE TE HE ASIGNADO PARA RECIBIR...
¡¡UN ENTRENAMIENTO INTENSIVO!!
¡¿EEEEH?!

AYER TE ESTUVE OBSERVANDO. ERES UN CHAVAL EXTRAÑO, DIA.
ES OBVIO QUE LA SEÑORITA HA TENIDO EXPERIENCIA EN COMBATES Y ES FUERTE.
PERLA ADIVINÓ LOS MOVIMIENTOS QUE IBA A USAR FIJÁNDOSE EN MI POSTURA Y LA DE MIS POKÉMON.
EN CAMBIO TÚ... DE LOS TRES ERES EL ÚNICO AL QUE NO LE VEO INSTINTO PARA EL COMBATE...
POR OTRO LADO
AUNQUE LO HE INTENTADO POR TODOS LOS MEDIOS NO HE LOGRADO QUE ESTE SHIELDON SE SIENTA UNIDO A MÍ.
EN CAMBIO EN UN SOLO DÍA NO SE SEPARA DE TI.
¡MI IDEA ES LA SIGUIENTE!
¡¿QUÉ TAL SI ANTES DE IR AL LAGO TE PULIMOS UN POCO?! ¡¿EH?!
BLOF
BLOF
FRUS FRUS
ENSÉÑALE ESTA CARTA AL CAPITÁN DEL BARCO.
AHÍ SE LO CUENTO TODO.
PERO... ¿Y ESTE SHIELDON?
¡TE HA COGIDO CARIÑO, ASÍ QUE LLÉVATELO! ¡CUIDA BIEN DE ÉL!
¡CLAAARO!
AH, ¿Y SU NOMBRE?

RUTA 204.
UAH
UOOOH...
¡EH, PERAHIKO, CHIMHIKO!
TOM TOM
JE, JE...
SIEMPRE ERA EL PRIMERO EN DESPERTARME Y ESPERABA A LOS DEMÁS EN EL SALÓN DEL HOTEL.
PRIMERO VENÍA LA SEÑORITA, Y EL ÚLTIMO ERA DIA.
LO SABÍAMOS ANTES DE VERNOS PORQUE LAS POKÉDEX EMPEZABAN A PITAR.
ENTONCES LOS TRES PARÁBAMOS EL SONIDO Y EMPEZÁBAMOS UN NUEVO DÍA.
PERO HOY LA POKÉDEX
ESTÁ COMO MUDA.

LA POKÉDEX QUE SONA-
BA TODOS LOS DÍAS...
HOY YA NO...
PLP
...

RUTA 211.
BUENOS DÍAS.
RAPIDASH, EMPOLEON...

DING

TODAS LAS MAÑANAS ME ENCONTRABA A PERLA, EL MÁS MADRUGADOR, ESPERANDO EN EL SALÓN.
SIEMPRE ME RECIBÍA CON ESA CARA DE "¿PERO QUÉ HORAS SON ESTAS?".
Y DESPUÉS LLEGABA DIAMANTE RESTREGÁNDOSE LOS OJOS.

LO SABÍAMOS PORQUE LA POKÉDEX EMPEZABA A SONAR.
LOS TRES LA PARÁBAMOS Y EMPEZÁBAMOS UN NUEVO DÍA.

YA ME HABÍA ACOSTUMBRADO A ELLO. LA POKÉDEX SONABA TODOS LOS DÍAS,
PERO HOY...

¿POR QUÉ SERÁ QUE...?
NO ES MÁS QUE UN RUIDO, PERO ESTABA TAN ACOSTUMBRADA QUE...
PLIP...
SI SOLO ES UN RUIDO...

A BORDO DEL MAR DE SINNOH.
UOH... UOOOH... BUENOS DÍAS, WIG, MUNCH...
Y BUENOS DÍAS... EEEH...
...DON.

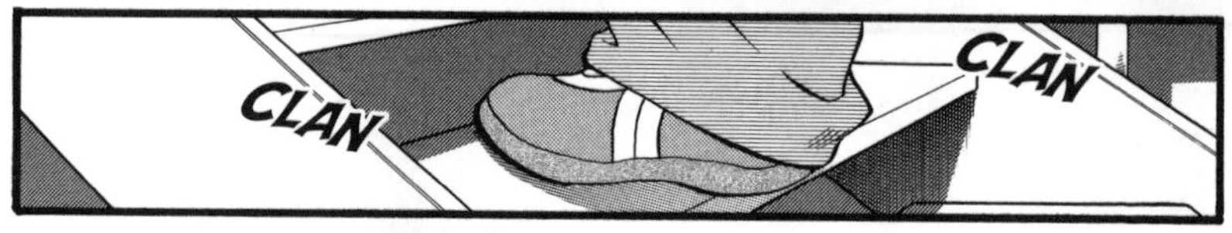
CLAN
CLAN

FSSSH...
SIEMPRE QUE ABRÍA LOS OJOS...
...PERLA Y LA SEÑORITA HACÍA RATO QUE YA SE HABÍAN LEVANTADO.
Y CUANDO LOS DOS ESTABAN CERCA LA POKÉDEX SE PONÍA A PITAR...
ENTONCES LOS TRES LAS PARÁBAMOS Y EMPEZÁBAMOS EL DÍA.
LA POKÉDEX SONABA TODOS LOS DÍAS,
PERO HOY NO VA A SONAR.

NO SÉ POR QUÉ...
SOLO ES UN PITIDO, PERO AHORA QUE NO LO OIGO...
SO-LO ES UN...
SOLO...

DESDE
HOY...

...VAMOS
A ESTAR
SOLOS.

CAPÍTULO 288: CONTRA GLISCOR

PUERTO DE CIUDAD CANAL.
¡¡PAPÁ, ÁNIMO EN TU NUEVO TRABAJO!!
NAMIKI
¡¡GRACIAS, HIJO!!
¡¡CONFÍA EN MÍ!! ¡¡LO VOY A BOR-DAR!!
SOY UN MARINE-ROOO ♬
UUUN HOMBRE DEL MAAAR ♬
Y DESDE HOOOY ♬
¡¡TAM-BIÉN SOY CAPI-TÁAAN!!
CLAC CLAC CLAC
¡¡TODO A ESTRI-BOOOR!!

¡¡BROOOOM!!
¡¡MAR DE SINNOH, A TODA MÁQUI-NA!!

BRROOOOOM
RRR
RRR
RRR
BRROM
ASÍ QUE NO DEBERÍA HABER NINGÚN PROBLEMA.
SOLO ME PREOCUPA LA POSIBILIDAD DE TORMENTAS ALREDEDOR DE LA ISLA PLENILUNIO.

¡TODO VA COMO LA SEDA! ¡¡ESTUPENDO!!
¡COMO NO HAY PASAJEROS NI LLEVAMOS CARGA ESTE PRIMER TRABAJO COMO CAPITÁN ESTARÁ CHUPADO!

¡¡CAPITÁN, TENEMOS UN PROBLEMA!!
QU... ¡¿QUÉ OCURRE?!

¡¡AHORA MISMO VOY PARA ALLÁ!!
¡¿PERO QUÉ HA PODIDO OCURRIR?!
¡¡¡LA COMIDA PARA LA TRIPULACIÓN!!!
¡¡¡HA DESAPARECIDO DEL COMEDOR!!!
QU...
¡¿QUÉ?!
¡AH, JA, JA, JA, JA!
QUÉ... ¡¿QUÉ HACE UN NIÑO A BORDO CELEBRANDO UNA FIESTA CON SUS POKÉMON?! ¡¡Y ENCIMA A COSTA DE NUESTRA COMIDA!!
¡¿SERÁ UN POLIZONTE?! ¡¿UN PIRATA?!
¡¿TÚUU?!
¡¿QUÉ DEMONIOS HACES AQUÍ?!

¿ES USTED EL CAPITÁN DEL BARCO? ME LLAMO DIA. ESTO ESTÁ BUENÍSIMO, TOME.
AH, ¿ASÍ QUE TÚ ERES DIA? GRACIAS POR INVITARME...

¡¡GRACIAS POR INVITARME A NUESTRA PROPIA COMIDAAA!!
LO SIENTO, PERO ES QUE NO HEMOS PODIDO EVITARLO, ¿VERDAD?
WIG...
MUNCH...
DON...

ESTABA BUSCANDO A LA TRIPULACIÓN PARA PRESENTARME, PERO NO LA ENCONTRABA POR NINGÚN LADO Y DE PRONTO ME HE TOPADO CON TODA ESTA COMIDA...
¡CUANDO ME HE DADO CUENTA MUNCH YA SE HABÍA ABALANZADO SOBRE ELLA!
HE INTENTADO DETENERLO, PERO POR AQUÍ TODO ES MUY ESTRECHO Y OSCURO, ASÍ QUE SE ME HA ESCAPADO...

PERO NO HAY MAL QUE POR BIEN NO VENGA: GRACIAS A ELLO HE PODIDO ENCONTRARLE.
ES CIERTO, ¡QUÉ PRIMER ENCUENTRO MÁS FRESCO Y ORIGINAL...!
¡¡BESUGO, BATRACIO, AMEBAAA!!
¡¡¡EN CUANTO VOLVAMOS AL PUERTO JURO QUE TE LANZO POR LA BORDA!!!

¡¡ARRUINARME ASÍ EL DÍA DE MI ESTRENO!!
¡¡HE SIDO MARINERO DURANTE 20 AÑOS!! ¡¡HE VISITADO Y NAVEGADO INFINIDAD DE REGIONES!!
DESPUÉS DE TODA UNA VIDA ME HE ESTABLECIDO AQUÍ EN SINNOH... HOY ES MI PRIMER DÍA COMO CAPITÁN, UN DÍA ÚNICO, ESPECIAL... ME ACORDARÉ SIEMPRE DE HOY Y...

¡¡¿QUÉ HACÉIS AHÍ REPANTINGADOS?!!

ES QUE CON EL ESTÓMAGO LLENO ME HA ENTRADO SUEÑO...
¡¡LLAMANDO A TODA LA TRIPULACIÓN DISPONIBLE!! ¡¡ACUDAN INMEDIATAMENTE!!
¡MANTENGAN AL POLIZONTE DESPIERTO MIENTRAS LO ALECCIONO!

...
¿EH? ¿PERO DÓNDE ESTÁ TODO EL MUNDO?

SEÑOR CAPITÁN, TODOS ESTÁN DURMIENDO.

PE... ¡¿PERO QUÉ ES ESTO?!

NO PARECEN HERIDOS.
SERÁ QUE SE HAN PUESTO LAS BOTAS Y LES HA ENTRADO LA MODORRA.
¡¡¿PERO QUÉ ESTÁS DICIENDO?!! ¡¡¿NO VES QUE HAN PERDIDO EL CONOCIMIENTO?!!
¡EH! ¡DESPIERTA!
¡¡EN UNA SITUACIÓN ASÍ DEBEMOS DE EXTREMAR LA CAUTELA!! ¡¡PODRÍA HABER UN POKÉMON SALVAJE!!
ENTENDIDO.
¡¿ESTÁS SEGURO?!
SÍ, PORQUE LO TENGO DELANTE.
QUE LO TIENES...
¿DELANTE?

¡¡UAAAAH!!
GLISCOR
EVOLUCIONA DESDE GLIGAR Y ES UN POKÉMON COLMICORPIO.
ESPERA A SUS PRESAS COLGADO DE UNA RAMA BOCABAJO. CUANDO LLEGA SU OPORTUNIDAD, SE LANZA EN PICADO.
U... ¡UNA POKÉDEX!
GRAAAR

SREEEEC
ZAM ZAM ZAM ZAM
FUAAAASH
¡ESE COLMILLO ES UN ARMA DE LO MÁS PODEROSA!
¡¡ESTÁ UTILIZANDO COLMILLO HIELO, COLMILLO RAYO, COLMILLO ÍGNEO Y SABE QUÉ MOVIMIENTOS SON MÁS EFECTIVOS CONTRA NOSOTROS!!
MUY BIEN.
TENEMOS QUE HACER ALGO...

VAMOS A AGRADECER EL VIAJE EN BARCO Y LA COMIDA GRATIS.
MUNCH.
WIG.
DON.

DEBO COMBATIR PARA HACERME FUERTE EN COMBATE...
TENGO QUE MEJORAR COMO ENTRENADOR POKÉMON.

¡¡PRIMERO MUNCH!!
GRAR
PTOM
CHAS
CHAS
TENÍA UN MONTÓN DE BAYAS ESCONDIDAS EN SU PELAJE. ¿PERO QUÉ SE SUPONE QUE PIENSA HACER CON ELLAS?

POI
POI
¡¡¡¿UN ATAQUE CON BAYAAAS?!!!
POI
¡¡¿ASÍ ES COMO PIENSAS DERROTARLO?!!
TRANQUILO, SEÑOR CAPITÁN. SOLO ESTOY GANANDO TIEMPO.
APROVECHEMOS LA OCASIÓN.
¡¡DON!!
¡¡PERO SI SOLO SE ESTÁN RASCANDO EL UNO AL OTRO COMO BUENOS COMPAÑEROS!!
¡¡SÍ!!
FRUS
FRUS
SHIIIN

ZUUUM
¡¡CUIDADOOO!!
CR
AA
AC
DON ES UN
SHIELDON.
ES DE TI-
PO ACERO
Y TIENE
LA CABE-
ZA MUY
DURA.
SE ABRILLAN-
TA LA CARA
FROTÁNDOLA
CONTRA LOS
ÁRBOLES Y
SE HACE
AÚN MÁS
DURO.
UUUH...
¡SE HA
HECHO DAÑO
EN LOS DIEN-
TES! ¡ES
TU OPOR-
TUNIDAD!
¡SÍ!
¡¡WIG,
HOJA
AFILA-
DA!!
SHAAA

BAM
BAM
BAM
BAM
BAM
BAM
PTOM
¡¡LO HAS CONSEGUIDO!!
¡¡ADMIRABLE!! ¡HAS ACTUADO SIN PERTURBARTE! ¡QUÉ NERVIO, QUÉ VALENTÍA!
QUÉ VA, QUÉ VA...
CUANDO COMBATO PIENSO EN COMIDA Y ASÍ SOLO PASO HAMBRE, NO MIEDO...
AH, SÍ... TENGO QUE ENTREGARLE ESTO.
AQUÍ TIENE.
PARA EL CAPITÁN ALAMEDA
¡OH!
¡¡PERO SI ES DEL SEÑOR ACERÓN!!

A Alameda.
¡¡Soy Acerón!!,
Haz lo que te digo y no me pongas pegas. ¡Deja a este chaval viajar en el "Mar de Sinnoh"! ¡¡Le he dicho que podía comer y beber como si estuviera en su casa, así que asegúrate de tratarlo bien!!
Acerón
¡UAAAJ! ¡ASÍ QUE SE TRATABA DE ESTO!
¡ME CASÉ CON MI MUJER PORQUE ME LA PRESENTÓ EL SEÑOR ACERÓN, DE MODO QUE AHORA LE DEBO UNA!
AH, EJEM, ESTÁ BIEN. ¡SUPONGO QUE TENÍA QUE OCURRIR ALGO ASÍ TARDE O TEMPRANO!
PERO...
¡AAAAH!
¿QUÉ ES LO QUE...?
¡¡UAAAH!!
¡¡OH, NO!! ¡¡DURANTE EL ATAQUE DE GLISCOR ME HE OLVIDADO POR COMPLETO DEL TIMÓN!!
¡¡VAMOS DERECHOS A LA ROCAAA!!

DE SINNOH
¡¡RESPLANDOR!!
FROOOOASH
ZUAAAAA
ASH
SSSSSH
¡ALGUIEN HA VOLADO LA ROCA CON UN MOVIMIENTO POKÉMON!
¡NOS HEMOS LIBRADO! ¡ME VOY CORRIENDO A TOMAR EL TIMÓN!
DIA, DIGO...
DIAMANTE, ¿ES TU NOMBRE?

¡YO SOY QUINOA!
¡ACERÓN ME HA EN-CARGADO TU ENTRE-NAMIENTO INTENSIVO!
DÉMONOS PRISA.
VAMOS A ISLA HIERRO.

MAPA DE LA AVENTURA
DIAMANTE
MAR DE SINNOH
WIG
TORTERRA ♂
MUNCH
MUNCHLAX ♂
DON
SHIELDON ♂
PERLA
RUTA 204
CHIMHIKO
INFERNAPE ♂
PERAHIKO
CHATOT ♂
RUTA 211
PLATINO
EMPOLEON
EMPOLEON ♀
RAPIDASH
RAPIDASH ♂
PIRITA
CONTRA ROCO
MEDALLA LIGNITO
VETUSTA
CONTRA GARDENIA
MEDALLA BOSQUE
ROCAVELO
CONTRA BREGA
MEDALLA ADOQUÍN
PRADERA
CONTRA MANANTI
MEDALLA CIÉNAGA
CORAZÓN
CONTRA FANTINA
MEDALLA RELIQUIA
CANAL
CONTRA ACERÓN
MEDALLA MINA

CAPÍTULO 289: CONTRA LUCARIO (1ª parte)

ISLA HIERRO.
ES UNA ISLA ALEJADA DE LA COSTA ESTE DE SINNOH.

LA ÚNICA MANERA DE LLEGAR AQUÍ ES A BORDO DEL *MAR DE SINNOH,* PARTIENDO DESDE CIUDAD CANAL.
EN EL PASADO EN ESTA ISLA EXISTÍAN MINAS EN ACTIVO...

FUE UNA ISLA IMPORTANTE POR SU ACTIVIDAD INDUSTRIAL, PERO...

...UN BUEN DÍA TODO AQUELLO TERMINÓ.
AHORA ES UN LUGAR DONDE LOS ENTRENADORES Y LÍDERES DE GIMNASIO PUEDEN VENIR A EJERCITARSE.

¿HEMOS LLEGA-DO?
ASÍ ES, DIA.

EL SEÑOR ACERÓN TAMBIÉN VIENE A MENUDO PARA ENTRENAR.

BIENVENIDO A TU LUGAR DE ENTRE-NAMIENTO.

MUY BIEN, NO HAY TIEMPO QUE PERDER.
FRAS

TAP

¿QUÉ ESTÁS HACIENDO? RÁPIDO, PREPARA TUS POKÉMON.
LOS TRES QUE TIENES.

!
LA PRIMERA FASE DE TU ENTRENAMIENTO SERÁ COMBATIR CONMIGO. UTILIZARÉ ESTE LUCARIO.

SERÁ UN TRES CONTRA UNO.
VAMOS, VEN A POR MÍ.

¡¡MUNCH, DESEN-ROLLAR!!
SHUUUU
¡¡DON, COLA FÉ-RREA!!
CLINC CLINC
¡¡WIG, HOJA AFILA-DA!!
SHUUUU
ZAM
¡¡LUCA-RIO, A BOCA-JARRO!!
GRAB
!!
ZAASH

ZUUUM
BOM
ZAAAS
FIUUU
¡¡¡ESFERA AURAL!!!
FUOSH

BOM
BOM
BOM
BOM
BOM
BOM
BOM
BOM
PTOM
PTOM
SWOOSH

¡¡MAZAZO!!
ZAM
¡¡WI...G!!
ZIUU
CREEC
CREEC
GRRRRRR

SWOOOSH
VAMOS A DEJARLO AQUÍ. A TUS TRES POKÉMON AÚN LES QUEDA UN MÍNIMO DE ENERGÍA. LUCARIO HA VENCIDO.
?
¿EH?
¡¡¿¿EEEEEH??!!
ESE ÚLTIMO IMPACTO HA VENIDO DE UN BOMBARDEO DE ESFERAS AURALES LANZADAS HACIA EL CIELO.
LU
WI
LUCARIO SE HA SERVIDO DEL TIEMPO QUE TARDAN EN CAER SOBRE EL OBJETIVO.
MU
WI
LU

HAS PERDIDO PORQUE ERES DEMASIADO INGENUO.
AUNQUE TIENES COSAS DIGNAS DE ALABANZA.

LA PRIMERA ES TU DEFENSA.
TU TORTERRA APENAS SE HA MOVIDO AL RECIBIR EL IMPACTO A BOCAJARRO
Y MUNCHLAX Y SHIELDON TAMPOCO VAN A LA ZAGA A NIVEL DEFENSIVO.

TUS TRES POKÉMON
SE MUEVEN DESPACIO, PERO
SU DEFENSA RESULTA ADMIRABLE.
SI MUNCHLAX EVOLUCIONA A SNORLAX Y SHIELDON A BASTIODON, AÚN LO SERÁ MÁS.

OTRO PUNTO POSITIVO ES LA COMBINACIÓN.
MUNCHLAX Y SHIELDON HAN HUIDO BAJO EL GRAN TRONCO DE TORTERRA PARA EVITAR LA ESFERA AURAL.
A PRIMERA VISTA PODRÍA PARECER QUE SIMPLEMENTE ESTABAN HUYENDO...

...PERO LA ESTRATEGIA ESTABA UNIDA AL SIGUIENTE MOVIMIENTO.
AL PESADO TORTERRA SE HAN SUMADO EL CONTUNDENTE PESO DE OTROS DOS POKÉMON, LO QUE HA AUMENTADO LA INTENSIDAD Y RAPIDEZ DE MAZAZO.

LUCARIO TIENE EL PODER DE CAPTAR EL AURA.
EL AURA ES LA ENERGÍA QUE POSEEN TODOS LOS SERES VIVOS, LAS PERSONAS Y LOS POKÉMON.

DATOS
Nº 448 LUCARIO
POKÉMON AURA
LUCHA
ACERO
ALTURA 1,2M
PESO 54,0KG
PUEDE LEER LOS PENSAMIENTOS Y MOVIMIENTOS DE SU ADVERSARIO A TRAVÉS DE SU AURA
GRACIAS A ELLO LUCARIO ES CAPAZ DE LEER LOS PENSAMIENTOS Y MOVIMIENTOS DEL ADVERSARIO...
!!

¡ENTONCES...!
ASÍ ES, LUCARIO SE HABRÍA ADELANTADO A TODOS TUS MOVIMIENTOS SIN IMPORTAR QUÉ LES ORDENARAS A TUS POKÉMON.

PERO AUNQUE ADELANTARSE A LOS MOVIMIENTOS DEL OPONENTE ES IMPORTANTE...
...TAMBIÉN LO ES EL PODER PARA CONTRAATACAR
Y DETENER LA OFENSIVA.

EH... JE, JE...
POR OTRO LADO, TENEMOS QUE HACER ALGO CON LA LENTITUD DE TUS POKÉMON. TAL COMO ESTÁN NO PUEDEN SER LOS PRIMEROS EN ATACAR.

AUNQUE HAS DADO LA ORDEN ANTES QUE YO, EL MOVIMIENTO DE LUCARIO HA SIDO MÁS RÁPIDO Y HA LLEGADO ANTES.
¿ENTIEN-DES?
AH... SÍ.

ESTO ME HA SER-VIDO PARA DECIDIR TU PROGRAMA DE ENTRE-NAMIENTO.
AVAN-ZARÁS POR EL RECO-RRIDO A.
¿RECO-RRIDO A?

VEN AQUÍ.

VAMOS, ENTRA EN LA CUEVA.

¡UAH!

HAY TRES PISOS.
EN PRIMER LUGAR, BAJA LAS ESCALERAS DE LA DERECHA, SIGUE ADELANTE, VUELVE A BAJAR LAS ESCALERAS DE LA DERECHA Y CONTINÚA HASTA LLEGAR AL FONDO.
ESE ES EL RECORRIDO A.
CUANDO LLEGUES VUELVE ENSEGUIDA.

ES LA SEGUNDA FASE DE TU ENTRENAMIENTO INTENSIVO.
ESTOOO...
3...
DERECHA...
DERECHA...
5...
2...
ESTOOO...
TIENES QUE REPETIR EL RECORRIDO CINCO VECES.

YO TE ACOMPAÑARÉ HASTA EL PRIMER PISO.
A PARTIR DEL SEGUNDO DEBERÁS IR SOLO.

POR EL CAMINO ENCONTRARÁS POKÉMON SALVAJES CON LOS QUE COMBATIR. QUIERO QUE ENCUENTRES TUS PUNTOS DÉBILES Y LOS CORRIJAS.
DE ACUERDO.

LA CUEVA ESTÁ REPLETA DE POKÉMON SALVAJES.
DE FRENTE, POR TUS FLAN-COS O POR LA ESPALDA... NUNCA PODRÁS ESTAR SEGURO DE POR DÓNDE VENDRÁ EL PRÓXIMO ATAQUE...

FLAP
FLAP
FLAP

GRRR
!
¡¡DON!!
CLONC

GRRRR
NO HA LOGRADO ESQUIVAR EL ATAQUE, PERO HA SIDO CAPAZ DE BLOQUEARLO.
ZUM
RRR
!!
¡¡VIENE HACIA AQUÍ!! ¡¡MUNCH!!

BAAUM
MIENTRAS BLOQUEA AL ENEMIGO UTILIZANDO A SHIELDON Y MUNCHLAX BUSCA UNA OPORTUNIDAD PARA RESPONDER CON TORTERRA...
WIG...
HMMM...
ES-TOOO...

HMMM...

¿CUÁNDO OCURRIRÁ?
?

LA LEYENDA DICE QUE EN UNO DE LOS EMBLEMÁTICOS LAGOS DE LA REGIÓN DE SINNOH...
...EN EL LAGO VERAZ, DUERME EL LEGENDARIO POKÉMON SENSORIO.

LA ORGANIZACIÓN LLAMADA EQUIPO GALAXIA QUIERE CAPTURARLO.
¿PERO CUÁNDO?
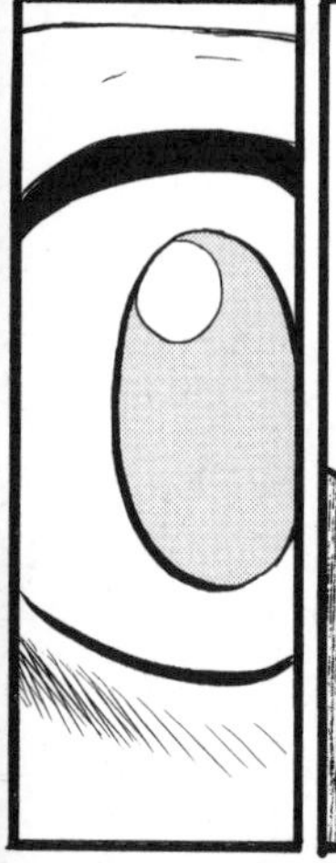

¿ESTÁS ENTRENÁNDOTE PARA DETENERLOS?
¿VAS A PROTEGER AL POKÉMON LEGENDARIO?

...
PUES...
SUCEDERÁ...
...EL PRÓXIMO SÁBADO.

YA VEO... TENIENDO EN CUENTA LO QUE SE TARDA EN LLEGAR AL LAGO VERAZ...
GRRR
...SOLO DISPONEMOS DE TRES DÍAS PARA PREPARARTE.
NO TENEMOS TIEMPO.
TENDRÁS QUE DARLO TODO.

MAPA DE LA AVENTURA

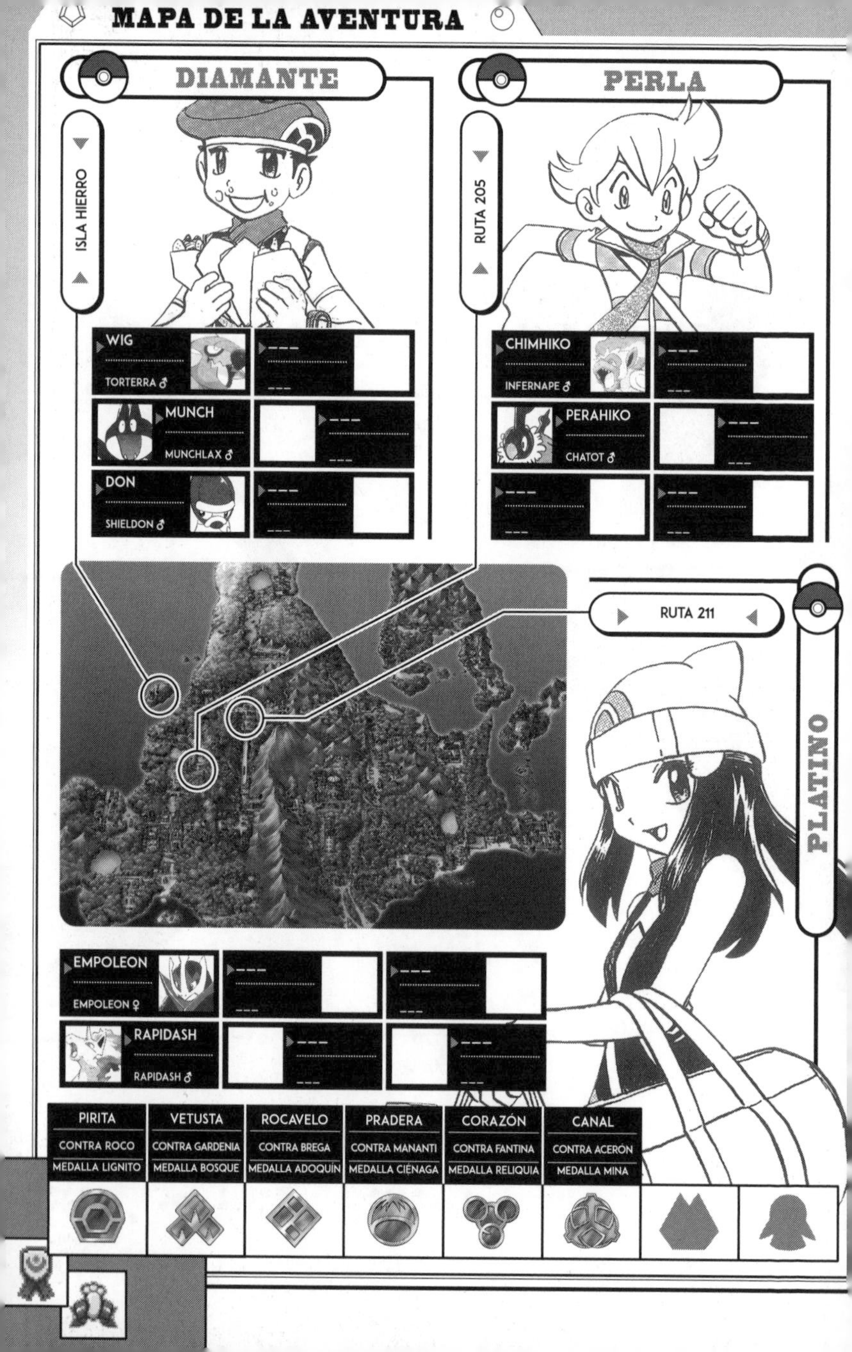

CAPÍTULO 290: CONTRA LUCARIO (2ª parte)

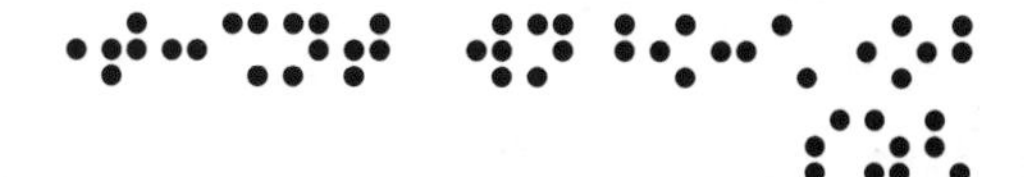

GGGGG
NO TE-
NEMOS
TIEMPO.
VAS A
TENER
QUE
DARLO
TODO.

ES VERDAD.
¡¡SI VOY A
PROTEGER
A MESPRIT...
...TEN-
GO QUE
HACER-
ME MÁS
FUERTE!!
¡¡ES LA RAZÓN
DE ESTE EN-
TRENAMIENTO
INTENSIVO!!
ÑUC
¡¡DEBO
CONSEGUIR
EL PODER
NECESA-
RIO PARA
ENFREN-
TARME...
...AL
TERRIBLE
EQUIPO GA-
LAXIA ANTES
DE QUE LLE-
GUE AL LAGO
VERAZ!!
¡¡WIG!!
¡¡TRITU-
RAR!!

CRAAAS
CRAAAC

SHIIIN
ZUM
ZUM

YA VEO... ESTABA CONSIDERANDO SI USAR TERREMOTO ES EFECTIVO CONTRA EL TIPO ACERO...
...PERO ESO DAÑARÍA A SHIELDON Y MUNCHLAX.

POR ESO DUDABA AL DAR SUS INSTRUCCIONES A TORTERRA...

BAM

BATAM
BATAM

PAM
PAM
BAM

BOM BOM BOM BOM
E... ¿ESTÁIS BIEN?
¡WIG, MUNCH, DON!

SE HA MARCHADO.
EL TRITURAR DE SHIELDON HA SURTIDO EFECTO.
DEBE DE HABER PENSADO QUE EL COMBATE SE ALARGARÍA Y HA DECIDIDO ABANDONAR.
!

¿LOS POKÉMON SALVAJES SON CAPACES DE VALORAR ASÍ LAS SITUACIONES?
ES QUE SE TRATABA DE UN POKÉMON ESPECIAL.
ES MÁS INTELIGENTE, PODEROSO Y VELOZ QUE NINGÚN OTRO.
DE HECHO,
ES UN POKÉMON AL QUE NUNCA HE LOGRADO DERROTAR DEL TODO.
NADA MENOS QUE DEL JEFE DE ESTA CUEVA.
HA SIDO UNA COINCIDENCIA QUE TE ENCONTRARAS CON EL MÁS FUERTE AL COMIENZO.
¡¡...!!

BIEN...
TENEMOS MUCHO CAMINO POR DELANTE.
ADELANTE.

EL ENTRENAMIENTO INTENSIVO EN ISLA HIERRO.

DIA Y QUINOA SIGUEN AVANZANDO POR LAS MINAS, SIGUIENDO EL RECORRIDO A.
A PARTIR DEL SEGUNDO PISO DIA CONTINÚA SOLO.
AVANZAN HACIA LAS PROFUNDIDADES COMBATIENDO CON POKÉMON SALVAJES, LLEGAN A LA CÁMARA MÁS PROFUNDA Y VUELVEN COMPLETANDO EL PROGRAMA.
QUINOA LO ESPERA A LA SALIDA...
...Y AYUDA A QUE ÉL Y SUS POKÉMON SE RECUPEREN.

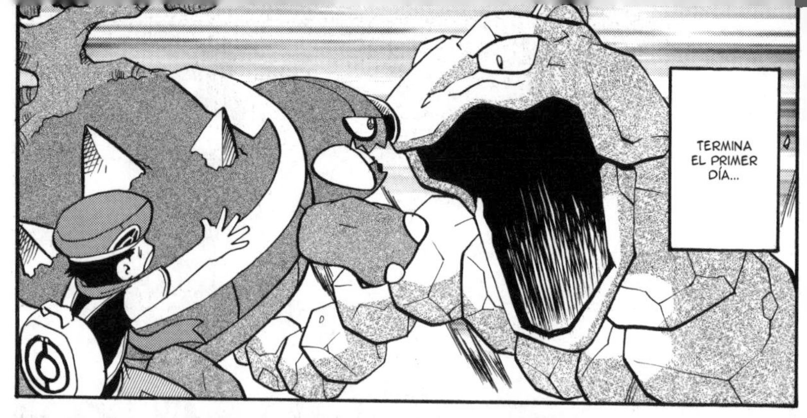
TERMINA EL PRIMER DÍA...

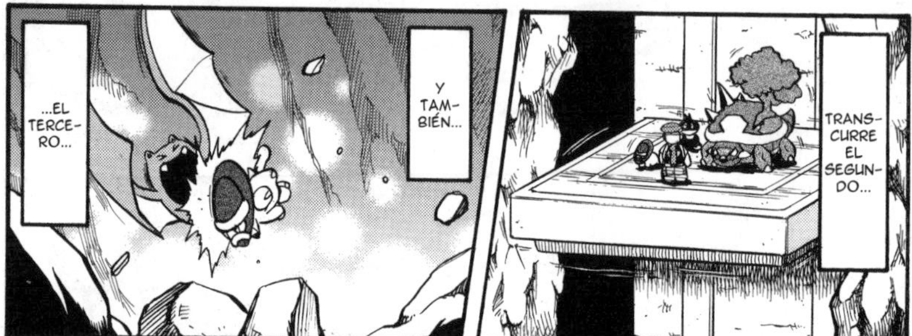
TRANSCURRE EL SEGUNDO...
Y TAMBIÉN...
...EL TERCERO...

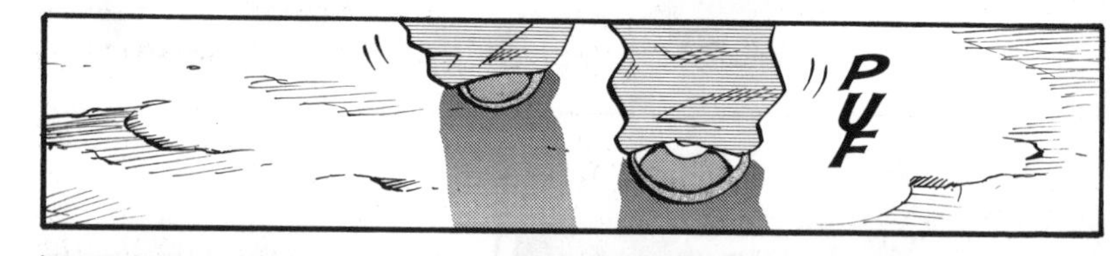
PUF

VIAJE NÚMERO CINCO...
AH
...TERMINADO.
POF
ARGH

BLOB
BLOB

CHIU CHIU CHIU CHIU CHIU
TOM

PRUEBA.
SERÍA MEJOR QUE LO HIRVIERA UN POCO MÁS, ¿NO?

CHOP
CHOP
CHOP

MUY BIEN.
SEÑOR QUINOA, HAY QUE ESPERAR UN POCO MÁS.

PESE A QUE ESTÁ AGOTADO POR EL ENTRENAMIENTO...
PREPARAR LA COMIDA LO PONE DE BUEN HUMOR... ES UN CRÍO CURIOSO...

OOOPS...
FLAP

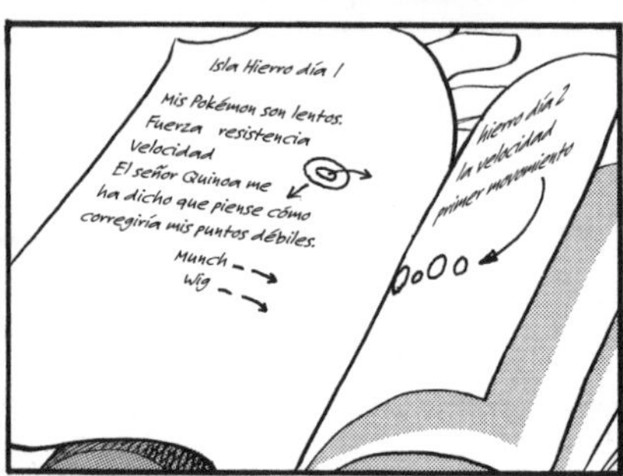
Isla Hierro día 1
Mis Pokémon son lentos.
Fuerza resistencia
velocidad
El señor Quinoa me
ha dicho que piense cómo
corregiría mis puntos débiles.
Munch
Wig
hierro día 2
la velocidad
primer movimiento
OoOO

?

DIARIO DE COMBATE POKÉMON
¡¡MÁS TE VALE ESCRIBIR TODOS LOS DÍAS!!

Isla Hierro día 1
Mis Pokémon son lentos.
Fuerza resistencia
velocidad
El señor Quinoa me
ha dicho que piense cómo
corregiría mis puntos débiles.
Munch
Wig
OoO

Isla Hierro día 1
Mis Pokémon son lentos.
Fuerza resistencia
Velocidad
El señor Quinoa me
ha dicho que piense cómo
corregiría mis puntos débiles.
Munch
Wig

Isla Hierro día 2
Entrenar la velocidad.
Descubrir cómo ser el
primero en atacar.

Isla Hierro día
¿Es imposible mejorar
la velocidad?
¡¡Aunque doy la orden primero
vencerlos elevar las defensas!!
Wig
Munch
Don

¡YA ESTÁ LISTO!

¡QUE APROVECHE!

EN LA MINA SOLO ME HE ENCONTRADO CON POKÉMON RÁPIDOS.
¿AHORA ENTIENDES POR QUÉ HE ESCOGIDO EL RECORRIDO A?
HE VALORADO DISTINTOS PROGRAMAS Y HE DECIDIDO QUE ESTE ERA EL MEJOR PARA TI.

...A ESTOS POKÉMON?
¿SERÁ DEMASIADO PEDIR VELOCIDAD...

ÑOM, ÑOM...
PERO NO HE LOGRADO SER EL PRIMERO EN ATACAR NINGÚN DÍA...

EL OLOR DE LA COMIDA HA ATRAÍDO A UN MONTÓN DE POKÉMON SALVAJES.
EH, EH...

SNIF
SNIF

TAP
TAP

ÑOM
ÑOM

¡ESTÁ BIEN, HAY PARA TODOS! ¡VAMOS, COMED, COMED!

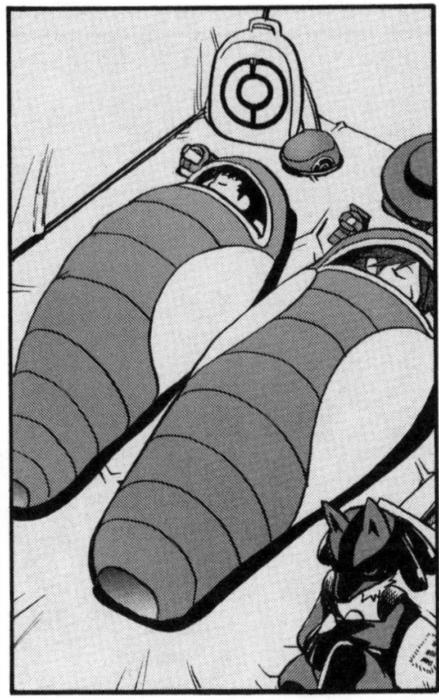

ZAS

¡FRAS!

CRAS
CRAS

SCHAC
SCHAC

!
BIP
BIP
BIP
BIP
BIP

SOY QUINOA.
AQUÍ ACERÓN.

¿CÓMO VA DIA?

ESFORZÁNDOSE CON SUS HABILIDADES DE COMBATE...
ES UN BUEN CHICO, MUY AMABLE... ESTÁ TRABAJANDO DURO PARA MEJORAR.

SE TOMA SU TIEMPO...
...PERO DESPUÉS DE PENSARLO MUCHO AL FINAL SIEMPRE LOGRA DAR CON LA RESPUESTA.
ES SU FORMA DE SER.

EN TODO CASO SI DEBE LLEGAR AL LAGO VERAZ EL PRÓXIMO SÁBADO
TIENE QUE PARTIR ENSEGUIDA.
PARA MAÑANA LE TENGO PREPARADO EL EXAMEN DE GRADUACIÓN.
¡ENTIENDO!

¡CONFÍO EN TI, QUINOA!
DE ACUERDO.

HEMOS LLEGADO AL FINAL DEL ENTRENAMIENTO,
DIA.
SÍ.
HOY AÑADIREMOS UN ELEMENTO NUEVO.

?
EL PROGRAMA ES IDÉNTICO AL DE ESTOS DÍAS, PERO ANOCHE COLOQUÉ ALGO EN LA PARTE MÁS PROFUNDA DE LA CUEVA.

SE TRATA...
...DE UN HUEVO POKÉ-MON.

¡¿UN HUE-VO?!
ESO ES. PARA QUE LOS POKÉMON SALVAJES NO TE ALCANCEN VAS A TENER QUE IR REALMENTE RÁPIDO.

Y NO SOLO ESO, TAMBIÉN VAS A TENER QUE SER MÁS CUIDA-DOSO.
SI CONSIGUES COMPLETAR LA MISIÓN TE HABRÁS GRA-DUADO.

¡ENTENDIDO! ¡ALLÁ VOY!

CO-RRE.
CORRE.

¡¿UAJ?!

¿QUÉ OCURRE, DIA?
¡HAY ALGO OBSTACULIZANDO EL CAMINO!
¡¡ES...

...UN STEELIX!!

¡¡ES EL POKÉMON QUE ESTUVO COMBATIENDO CON WIG EL PRIMER DÍA!!
¡Y ADEMÁS TIENE MARCAS DE UN MORDISCO!

¡EL QUE EL SEÑOR QUINOA TENÍA DIFICULTADES PARA COMBATIR! ¡¡EL JEFE DE LA CUEVA!!
¡¡¿PERO QUIÉN HABRÁ SIDO?!!

MAPA DE LA AVENTURA
DIAMANTE
ISLA HIERRO
WIG
TORTERRA ♂
MUNCH
MUNCHLAX ♂
DON
SHIELDON ♂
PERLA
RUTA 205
CHIMHIKO
INFERNAPE ♂
PERAHIKO
CHATOT ♂
RUTA 211
PLATINO
EMPOLEON
EMPOLEON ♀
RAPIDASH
RAPIDASH ♂
PIRITA
CONTRA ROCO
MEDALLA LIGNITO
VETUSTA
CONTRA GARDENIA
MEDALLA BOSQUE
ROCAVELO
CONTRA BREGA
MEDALLA ADOQUÍN
PRADERA
CONTRA MANANTI
MEDALLA CIÉNAGA
CORAZÓN
CONTRA FANTINA
MEDALLA RELIQUIA
CANAL
CONTRA ACERÓN
MEDALLA MINA

CAPÍTULO 291:
CONTRA MOTHIM Y VESPIQUEN (1ª parte)

ZUH

¿EH? AHORA MISMO ME HA PARECI-DO VER UNA SOMBRA QUE SE MOVÍA.
¡¡DIA!!

¡ES EL STEELIX! ¡EL JEFE DE LA CUEVA!
DEBE DE HABER SIDO UN COMBATE VERDADE-RAMENTE CRUENTO.
¿TAMBIÉN PUEDE SABER ALGO ASÍ?

SÍ, PODEMOS DETECTARLO GRACIAS AL AURA QUE QUEDA SUS-PENDIDA EN EL AIRE...

SU ADVERSARIO ERA VELOZ.
EL STEELIX HA UTILIZADO PULIMENTO.
ASÍ HA ELEVADO SU VELOCIDAD. HA INTENTADO SER MÁS RÁPIDO QUE SU OPONENTE, PERO HA PERDIDO...

DIA, CAMBIO DE PLANES.
VEN CONMIGO Y NO TE SEPARES.
SÍ.

LA FASE FINAL DE TU ENTRENAMIENTO CONSISTIRÁ EN DESCUBRIR QUÉ HA OCURRIDO.
TAMBIÉN EN RECUPERAR EL HUEVO.

NO SABEMOS A QUÉ ENEMIGO NOS ENFRENTAREMOS...
DISCULPE, SEÑOR QUINOA...

PODRÍA HABERME EQUIVOCADO...
...PERO ANTES ME HA PARECIDO VER UNA SOMBRA QUE SE MOVÍA.
¿UNA SOMBRA?
QUÉ EXTRAÑO.

SI ESTABA TAN CERCA COMO PARA ENTRAR EN TU CAMPO DE VISIÓN...
...LUCARIO Y YO DEBERÍAMOS HABER CAPTADO SU AURA...
ZUUUM

PAM
PAM
SHUU

¡¡AGH...!!
PTOM

¡SE-
ÑOR
QUI-
NOAAA!
UH... ¿PERO
QUÉ ES
ESTO...?

MIS
OJOS...
¡NO VEO
NADA!

¡¿ESTÁ
BIEN,
SEÑOR
QUINOA?!
CHAC

¿MIEL...?
ESTOY
BIEN.

PUEDE QUE
ME FALTEN
UNO O DOS
SENTIDOS,
PERO
LUCARIO
Y YO AÚN
PODEMOS
LEER LAS
AURAS.

ESO
NOS PERMI-
TE DETECTAR
LA EXISTENCIA
DE CRIATURAS
Y PERSONAS
CERCANAS,
ASÍ COMO
PERCIBIR SUS
MOVIMIENTOS
Y PENSA-
MIENTOS.
TAP

¡¿AH,
SÍ?!
¡¿Y NO
DEBERÍAS
HABERNOS
DETECTA-
DO?!

¡ERA IMPOSIBLE QUE NOS DETECTARAS!
¡¡SI PUDIERAS HACERLO NO HABRÍAS SIDO UN OBJETIVO TAN FÁCIL!!
¡¡AH, ¿ASÍ QUE ES ESO?!! ¡¡JI, JI, JI...!!
¡¡¿QUIÉNES SOIS?! ¡¿CUÁNDO HABÉIS LLEGADO A LA ISLA?!

¡¿EH?! ¡¿PUEDES SABER QUÉ MOVIMIENTOS HEMOS UTILIZADO EN EL COMBATE DE HACE UN MOMENTO...
...Y NO PUEDES LEER NUESTROS PENSAMIENTOS AHORA QUE ESTAMOS DELANTE?!
¡¡SERÁ MEJOR QUE TE RETIRES!!
¡¡JOYA DE LUZ!!
¡UGH!

BRROOOOM

TODO EL MUNDO SABE QUE QUINOA DE ISLA HIERRO ES CAPAZ DE DETECTAR EL AURA.
SABÍAMOS QUE PERCIBES LOS MOVIMIENTOS Y PENSAMIENTOS DE TUS ADVERSARIOS, ASÍ QUE ANTES DE ENTRAR AQUÍ NECESITÁBAMOS UN PLAN CONTRA TI.

SE TRATA DE...
¡¡EL SELLO AURAL!!

¡¿SELLO AURAL?!

¡HA FUNCIONADO A LAS MIL MARAVILLAS, COMO NOS HABÍA DICHO ESE TIPO!

LO SÉ, LO SÉ... JI, JI, JI...

¡¡¿QUÉ ESTÁIS HACIENDO?!!
ZAH

¡UN MOMENTO, CHAVAL!
NECESITAMOS UN REHÉN... ¡¡¿QUÉ TE PARECE ESTE CANDIDATO?!! ¡¡UN HUEVO POKÉMON!!
¡¡AAAAH!!
PARECE QUE ESTO VA A SER PAN COMIDO. ¿QUÉ TAL SI LES REVELAMOS EL SECRETO DEL SELLO AURAL?
¡CLARO! ¡HAZLO!
¡EL AURA ES UNA ONDA QUE TRANSMITIMOS TODOS Y QUE ALGUNAS PERSONAS Y POKÉMON CAPTAN IGUAL QUE SE PERCIBE EL SONIDO!
CUANDO HAY RUIDO UNO NO PUEDE DISTINGUIR CLARAMENTE LOS SONIDOS.
¡Y CON EL AURA SE PUEDE HACER LO MISMO!
Y AHÍ ES DONDE ENTRA EN JUEGO...
EL MOVIMIENTO DE ESTE MOTHIM...
¡¡TAJO AÉREO!!

¡¡CO-RREC-TO!!
¡MOTHIM DA VUELTAS A NUESTRO ALREDEDOR ENVOLVIÉNDONOS CONSTANTEMENTE CON TAJO AÉREO!
¡¡LUCARIO Y QUINOA PUEDEN CAPTAR OTRAS AURAS, PERO NO LES LLEGA NI UN ÁPICE DE LAS NUESTRAS!!
¡¡...!!
¡¡¿ASÍ QUE CORTÁIS EL AIRE PARA OBSTACULIZAR LA TRANSMISIÓN DEL AURA?!!
¡UGH! ¡ESTOY SEGURO DE QUE LUCARIO HA CAPTADO EL DESEMBARCO DE ESTOS TIPOS...!
¡¡PERO LA SEÑAL DEBÍA DE SER DEMASIADO DÉBIL Y NO LE HE DADO IMPORTANCIA!!
¡¡UNA VEZ HEMOS SELLADO EL AURA HEMOS TENIDO EL CAMINO DESPEJADO!!
¡¡DESPUÉS HABÉIS SIDO PRESAS DE ESTE VESPIQUEN!!
¡¡¡AL DAR UNA ORDEN LOS SÚBDITOS DE ESTE VESPIQUEN ATACAN A ULTRAVELOCIDAD!!!
¡¡NI SIQUIERA ESE STEELIX HA SIDO CAPAZ DE ENFRENTARSE A ELLOS!!
BZZZUUUM
¡¡EL RESPONSABLE DE LA MIEL QUE HA TAPADO TUS OJOS!! ¡¡HA UTILIZADO ALATAQUE, AUNQUE MIEL NO ES LO ÚNICO QUE ES CAPAZ DE DISPARAR!!

...
UN ENEMIGO MUY VELOZ... HMMM...
AH, PUES...
HEMOS ESTADO TRABAJANDO EN LA VELOCIDAD...
?
MI ENTRENAMIENTO EN ISLA HIERRO SE HA CENTRADO EN MEJORAR MI RAPIDEZ. EL RECORRIDO DEL SEÑOR QUINOA TENÍA ESE PROPÓSITO.
SIEMPRE TENEMOS PROBLEMAS CON LOS OPONENTES VELOCES, ASÍ QUE HEMOS PENSADO UN MONTÓN DE POSIBLES SOLUCIONES.
...PERO VAMOS A DERROTAROS!!
ES EL MOMENTO DE PONER A PRUEBA LO APRENDIDO...
¡¡QUIZÁ SOIS VELOCES...
NO NOS DIGAS...
A VEEER... SÍ, ¡¡ESTO ES!!
¡¿QUÉ MOVIMIENTO TIENES INTENCIÓN DE UTILIZAR?!
!!
¡¿HOJA AFILADA?!

PERO ESE MOVIMIENTO NO ES NADA EFECTIVO CONTRA OPONENTES VELOCES...
¡VAMOS ALLÁ...!
¡¡HOJA AFILADAAA!!
SHUUU
SHUUU SHUUU

ZAM ZAM ZAM ZAM
¡¡A DEFENDER!!

¡¿QUÉ ES ESTO?! ¡¿Y PARA ESO TANTO ASPAVIENTO?!
¡¡PUES ANDA QUE NO ES LENTO!! JI, JI, JI...

¡¡HA DICHO QUE IBA A DERROTAR NUESTRA VELOCIDAD Y RESULTA QUE LOS SÚBDITOS DE VESPIQUEN HAN PARADO TODOS SUS MOVIMIENTOS!!
MUY BIEN. UNA VEZ MÁS.
¡UAH, JA, JA,JA! ¡¡ESTA VEZ ES AÚN MÁS LENTO!!
¡¡ESTO ES LA MONDAAA!!
ZAM ZAM ZAM

...

¡BIEN!
¡BIEN HECHO, WIG!
¡¡ES COMO PENSABA!!

¡¿AH?!
¿QUÉ? ¿NO ENTENDÉIS LO QUE ME TRAIGO ENTRE MANOS?

LA SEGUNDA TANDA DE HOJA AFILADA HA LANZADO EXACTAMENTE EL DOBLE DE HOJAS QUE LA PRIMERA.
¡HE APRENDIDO A REGULAR EL NÚMERO DE HOJAS QUE LANZO GRACIAS A MI ENTRENAMIENTO!

LA VELOCIDAD DE LAS HOJAS HA DISMINUIDO CUANDO HAS MULTIPLICADO SU NÚMERO...
...
HMMM... YA VEO...

¡SI REDUCES EL NÚMERO DE HOJAS INCREMENTAS LA VELOCIDAD!
¡ESO ES, SEÑOR QUINOA!

¡LA INTENSIDAD MÁXIMA DEL MOVIMIENTO REQUIERE REDUCIR EL NÚMERO DE HOJAS...
Fuerza ÷ Cantidad = Velocidad
...A SOLO UNA!

SI SE LANZA UNA SOLA HOJA...
¿...POR CUÁNTO SE MULTIPLICARÁ SU VELOCIDAD?

¡HAY QUE SER IDIOTA! ¡ESE MOVIMIENTO REQUIERE MUCHAS HOJAS PARA ACERTAR EN EL BLANCO!
¡PUES CLARO! ¡DA IGUAL LO RÁPIDO QUE VAYA UNA HOJA! ¡TUS POSIBILIDADES DE ACERTAR SON RIDÍCULAS! JI, JI, JI...
¡QUÉ VA!
ES QUE HE ESTADO PRACTICANDO...

¡¡PRACTICANDO UNA Y OTRA VEZ!!
¡¡USANDO UNA SOLA HOJA HASTA ASEGURARME DE ACERTAR SIEMPRE!!
¡¡VENGA, QUE QUEREMOS VERLO!!
¡¡SORPRÉNDENOS, ANDA!!
¡YA VOY!
¡WIG!
¡¡HO...
ZUASH

...JA AFILA-DAAA!!

OH...

¡¡EL COMBATE HA TERMINADO ANTES DE QUE ACABARA DE DECIR EL NOMBRE DEL MOVIMIENTO!!
¡¡ESPLÉN-DIDO!!

SHIII IN
HE LLAMADO A MI NUEVO MOVIMIENTO LETAL...
¡¡LA HOJA SOLITARIA Y PREDESTINADA DE DIA!!

FIU

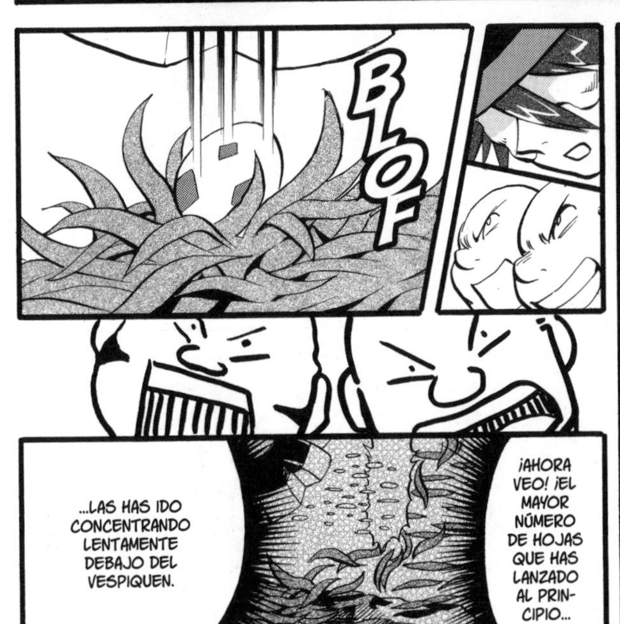
BLOF
¡AHORA VEO! ¡EL MAYOR NÚMERO DE HOJAS QUE HAS LANZADO AL PRINCIPIO...
...LAS HAS IDO CONCENTRANDO LENTAMENTE DEBAJO DEL VESPIQUEN.

ZUUU
¡¡UAAAH!! ¡¡NOOO!!
ZUUU
PUFF
PUFF
¡¡NO PUEDE SEEER!! ¡¡RÁPIDO, VESPIQUEN, EN PIE!! ¡¡USA AUXILIO!!
¡¡ES INÚTIL, SUS SÚBDITOS HAN ENTRADO EN PÁNICO!!
¡AJÁ! ¡VUELVO A PERCIBIR EL AURA!
¡LO SÚBDITOS HAN ENTRADO EN PÁNICO PERTURBANDO EL MOVIMIENTO DE MOTHIM!
HEMOS RECUPERADO EL HUEVO...
Y TERMINADO CON EL SELLO AURAL...
HORA DE CONTRAATACAR.
CREC
CREC
EH... NOOO... EEER... UN MOMENTO...
HOMBRE, TAMPOCO HAY QUE TOMÁRSELO ASÍ...

BOOOM
¡¡A BOCA-JARRO!!
¡¡ATAQUE ÓSEO!!
BAAM
¡¡FOCO RES-PLAN-DOR!!
¡¡NOOOOOO?!!
CRAS
¡¡ESFERA AURAL!!

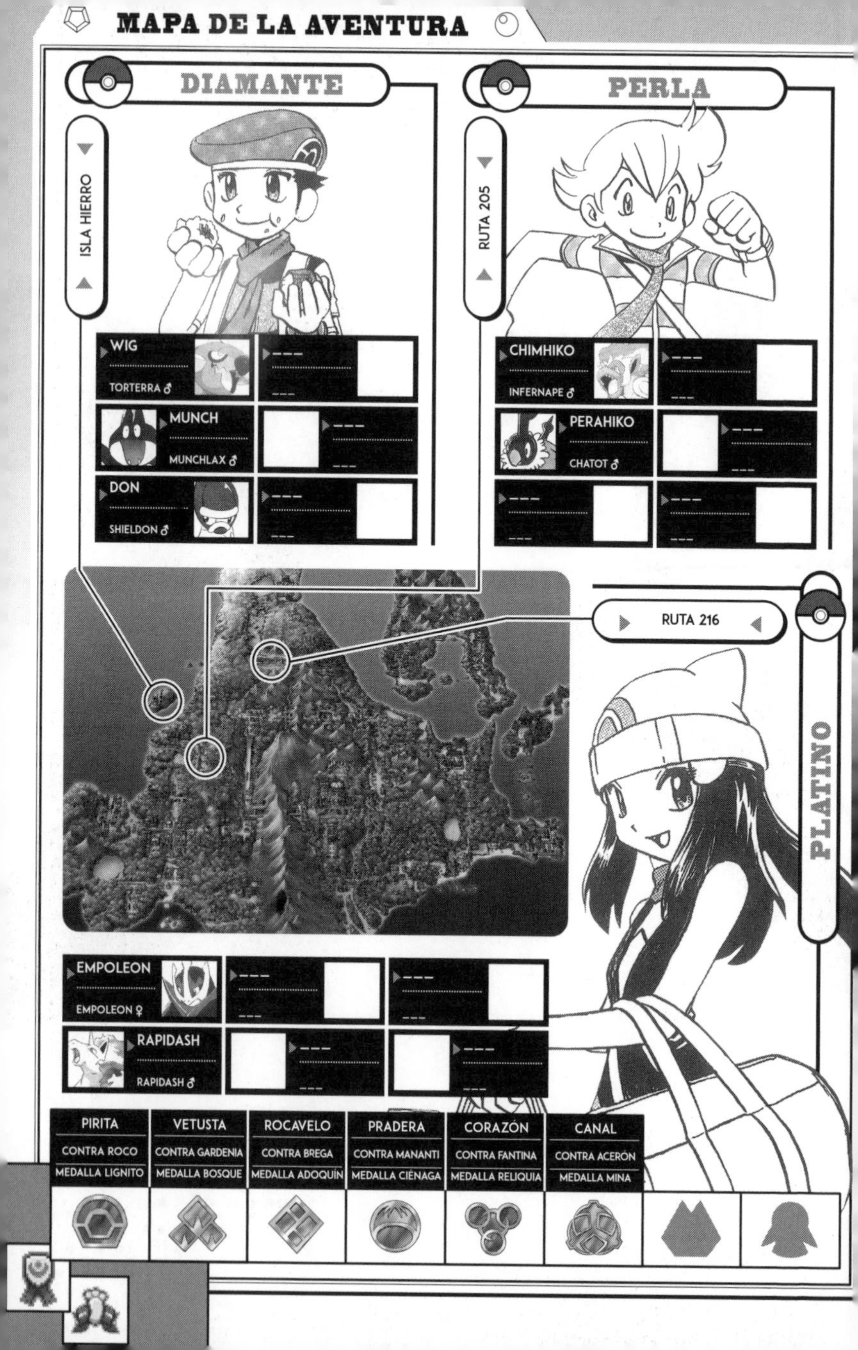

MAPA DE LA AVENTURA
DIAMANTE
ISLA HIERRO
WIG
TORTERRA ♂
MUNCH
MUNCHLAX ♂
DON
SHIELDON ♂
PERLA
RUTA 205
CHIMHIKO
INFERNAPE ♂
PERAHIKO
CHATOT ♂
RUTA 216
PLATINO
EMPOLEON
EMPOLEON ♀
RAPIDASH
RAPIDASH ♂
PIRITA
CONTRA ROCO
MEDALLA LIGNITO
VETUSTA
CONTRA GARDENIA
MEDALLA BOSQUE
ROCAVELO
CONTRA BREGA
MEDALLA ADOQUÍN
PRADERA
CONTRA MANANTI
MEDALLA CIÉNAGA
CORAZÓN
CONTRA FANTINA
MEDALLA RELIQUIA
CANAL
CONTRA ACERÓN
MEDALLA MINA

CAPÍTULO 292:
CONTRA MOTHIM Y VESPIQUEN (2ª parte)

CREC

CREC
CREC
Glup

OOOH
CR AS

¡POR FIN SE HA ABIERTO!
¡¡UN RIOLU!!

¡¡YA HA NACIDO!!
¡NO PUEDO EVITAR ACORDARME DEL DÍA EN QUE NACIÓ MI HIJO!
SNIF

¡¡¿QUÉ CLASE DE PERSONAS SON CAPACES DE TOMAR COMO REHÉN ALGO TAN DELICADO COMO UNA VIDA A PUNTO DE NACER?!!
¡¡EH, VOSOTROS!! ¿¡QUIÉN ES VUESTRO JEFE?! ¡¿QUÉ ESTABAIS BUSCANDO?! ¡¡HABLAD DE UNA VEZ!!
ES INÚTIL, YA SE LO HE PREGUNTADO YO VARIAS VECES.

¡SOLO LO HEMOS HECHO POR DINERO!
NOS IBAN A PAGAR UN MILLÓN POR VENIR A ISLA HIERRO Y MONTAR ALGO DE JALEO.
¡NOS HA CONTRATADO UN HOMBRE AL QUE NO CONOCEMOS...!

HMMM... PARECE QUE ES VERDAD QUE NO SABEN NADA. PERO NO PODEMOS OLVIDARNOS DEL ASUNTO ASÍ COMO ASÍ...
POR SUPUESTO, ALGUIEN QUERÍA CREAR PROBLEMAS POR ALGUNA RAZÓN.
PERO...

...NUESTRO HÉROE HA HABLADO CON SENSATEZ, Y HEMOS CAPTURADO A LOS ENEMIGOS
Y PROTEGIDO EL HUEVO.
¡CIERTO!
¿PERO DÓNDE SE HA METIDO? HEMOS VENIDO HASTA AQUÍ SOLO PARA RECOGERLO.

¡EH!
TOMP
ES INCREÍBLE, PARECE QUE LO ADORAN.
¿PERO ESE STEELIX NO ES...?
EXACTO, EL JEFE DE LAS CUEVAS. SABE QUE DIA HA VENCIDO A LOS INVASORES Y SE SIENTE AGRADECIDO. EL STEELIX HA ABIERTO SU CORAZÓN GRACIAS A DIA.

LO QUE QUIERE DECIR QUE SE HA GRADUADO CON HONORES, ¿NO DEBERÍAMOS DECÍRSELO?
¿EH, LUCARIO?
DIA.

TE HAS ESFORZADO MUCHO ESTOS CUATRO DÍAS.
TÚ Y TUS POKÉMON HABÉIS AUMENTADO VUESTRAS DEFENSAS Y HABÉIS APRENDIDO A REALIZAR ATAQUES SUPERRÁPIDOS.
PERO LO QUE HA ACABADO POR DEMOSTRAR TU VALÍA ES CÓMO TE LAS HAS APAÑADO PARA DERROTAR A LOS RUFIANES QUE HAN INVADIDO LAS CUEVAS.
MI EXAMEN DE GRADUACIÓN ERA ALGO DISTINTO, PERO CREO QUE PUEDES DEJAR ISLA HIERRO CONFIANDO EN EL VALOR DE TUS LOGROS.

MUCHAS GRACIAS, SEÑOR QUINOA.
FIU

PERO YO...
...NO CREO QUE HAYA HECHO NADA TAN IMPRESIONANTE.

¿POR QUÉ?
PORQUE...

AL FIN Y AL CABO VENÍAN A POR MÍ.
NO ME QUEDABA MÁS REMEDIO QUE ENFRENTARME A ELLOS...

¡¿QUE EL ENEMIGO IBA A POR TI?!
¡¿POR QUÉ DICES ESO?! ¡¿ESOS DOS CABEZAS RAPADAS...?!
!!
¡¡¿LO PERCIBES, LUCARIO?!!

NOS ESTÁN VIGILANDO...
ZUM
ZUM
¡DESDE EL AIRE!
SCHAC
¡¡HO...
...JA AFILADA!!
BUM
¡¡LA HOJA SOLITARIA Y PREDESTINADA DE DIA!!
FLASH
ZIUUUUU

CRASH
¡¡HAS CONSEGUIDO ACERTAR...
...A UN OBJETO VOLADOR EN PLENO MOVIMIENTO!!
VEAMOS...
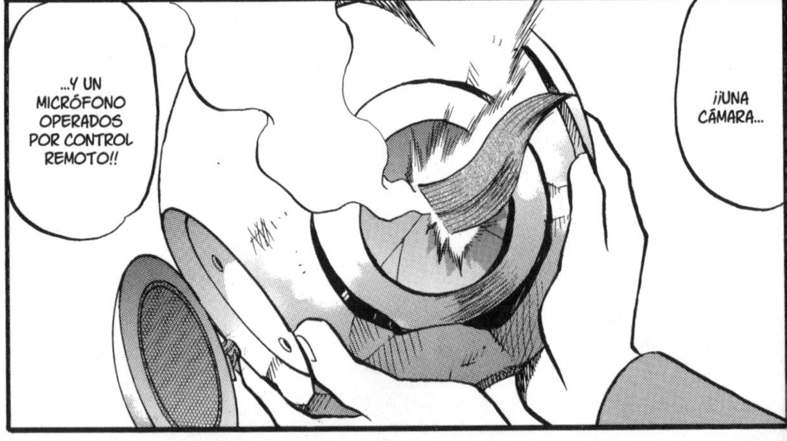
¡¡UNA CÁMARA...
...Y UN MICRÓFONO OPERADOS POR CONTROL REMOTO!!

SÍ, NO ES LA PRIMERA VEZ QUE LA VEO.

LOS MALOS HAN ENVIADO ESTE APARATO PARA ESPIAR MIS MO-VIMIENTOS.
ME ESTABAN GRABAN-DO.

¿POR ESO HAS DI-CHO...
...QUE IBAN A POR TI?

SÍ.

SEÑOR ACERÓN...
DEBO RECONOCER QUE TENÍA RAZÓN, DIA ENTIENDE LAS COSAS MEJOR DE LO QUE PENSABA.
TAMPO-CO...

IMAGINABA QUE LA MAG-NITUD DEL ENEMIGO Y SUS PLA-NES...
SERÍAN DE ESE CALI-BRE...

UOH...

UAH, UAH, UAH...

CLONCLONC
¡¡UAAAAAH!!
BLAM

DIA, ¿ESTÁS BIEN?
SÍII...

¡UAH! ¡¡SE HA ESTRELLADO CONTRA LA SEGUNDA RESIDENCIA DEL SEÑOR ACERÓN!!

NUNCA ME HABÍA ENCONTRADO MEJOOOR.

¡AQUÍ ESTÁ!

ENTONCES...
SÍ.
AH... ¿ASÍ QUE ESTA ES LA CASA DEL SEÑOR ACERÓN?

...
¿TE OCURRE ALGO?

EL ENTRENAMIENTO SERÁ DURO, PERO DEBES AGUANTAR.
SÍ, DIAMANTE.
EN ESA ISLA TENGO OTRA CASA, LO ENCONTRARÁS ENCIMA DEL TELEVISOR.
¡PODRÁS RECOGERLO CUANDO TU INSTRUCTOR TE DÉ PERMISO!
Y LUEGO DÁSELO A SHIELDON.

¡MUCHAS GRACIAS!
¡BIEN!
TÓMALO, DON.

HMMM... ES REVESTIMIENTO METÁLICO...

EL SEÑOR ACERÓN...
...Y SU HIJO ROCO.

PADRES E HIJOS.
HM...

BUF...
TAP
TENGO QUE PROTEGERLOS.
PLAS
PLAS

¡TENGO QUE PROTEGER...
...EL FUTURO DE SINNOH!

STEELIX, ¿ME PUEDES AUPAR OTRA VEZ?

ZUUUM

A VEEER...

EL LAGO VERAZ...

¿HAS CONSEGUIDO VERLO?
NO, PARA NADA.
PERO...
...SÍ QUE HE VISTO MI CAMINO FUTURO.
O ALGO PARECIDO...

¡¡PREPARADOS PARA ZARPAR!!
¡¡BOOOO!!

RR RR RR RR R
¡¡DEJO A DIA EN SUS MANOS, SEÑOR ALAMEDA!!
¡¡ADIÓS, QUINOA!!

DIA, ESPERO QUE SEAS CAPAZ DE PROTEGER A MESPRIT EN EL LAGO VERAZ.
Y...

...LO QUE COCINASTE ESTABA EXCELENTE.
ESPERO QUE NO SEA LA ÚLTIMA VEZ QUE COMEMOS JUNTOS.
¡HMPH!

BRRROOOOM

ENTONCES...

ESTE APARATO DEBE DE HABERLO MANDADO ÉL...
EL QUE HA EMPLEADO A LOS DOS CABEZAS RAPADAS QUE NOS HAN ATACADO...

NO SOLO LAS PERSONAS Y LOS POKÉMON EMITEN AURAS, TAMBIÉN LO HACEN LOS OBJETOS. Y ESTA AURA QUE DESPRENDE LA CÁMARA...

ES MALIGNA...
UN AURA DE PURA MALDAD...

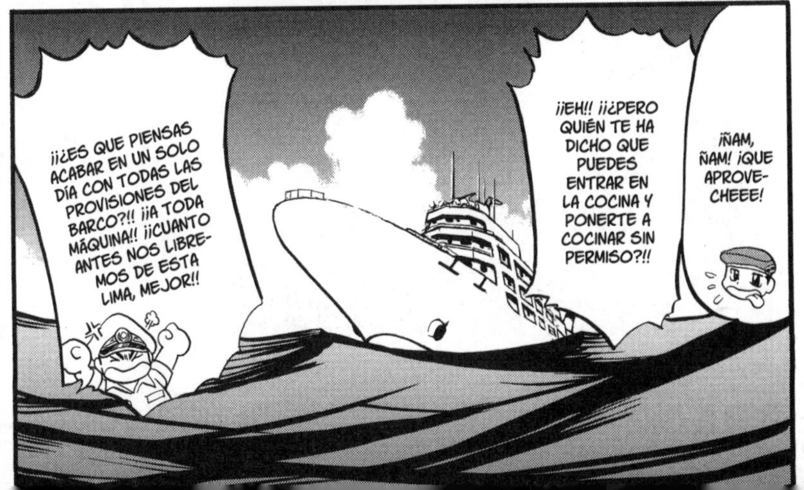
¡ÑAM, ÑAM! ¡QUE APROVECHEEE!
¡¡EH!! ¡¡¿PERO QUIÉN TE HA DICHO QUE PUEDES ENTRAR EN LA COCINA Y PONERTE A COCINAR SIN PERMISO?!!
¡¡¿ES QUE PIENSAS ACABAR EN UN SOLO DÍA CON TODAS LAS PROVISIONES DEL BARCO?!! ¡¡A TODA MÁQUINA!! ¡¡CUANTO ANTES NOS LIBREMOS DE ESTA LIMA, MEJOR!!

MAPA DE LA AVENTURA

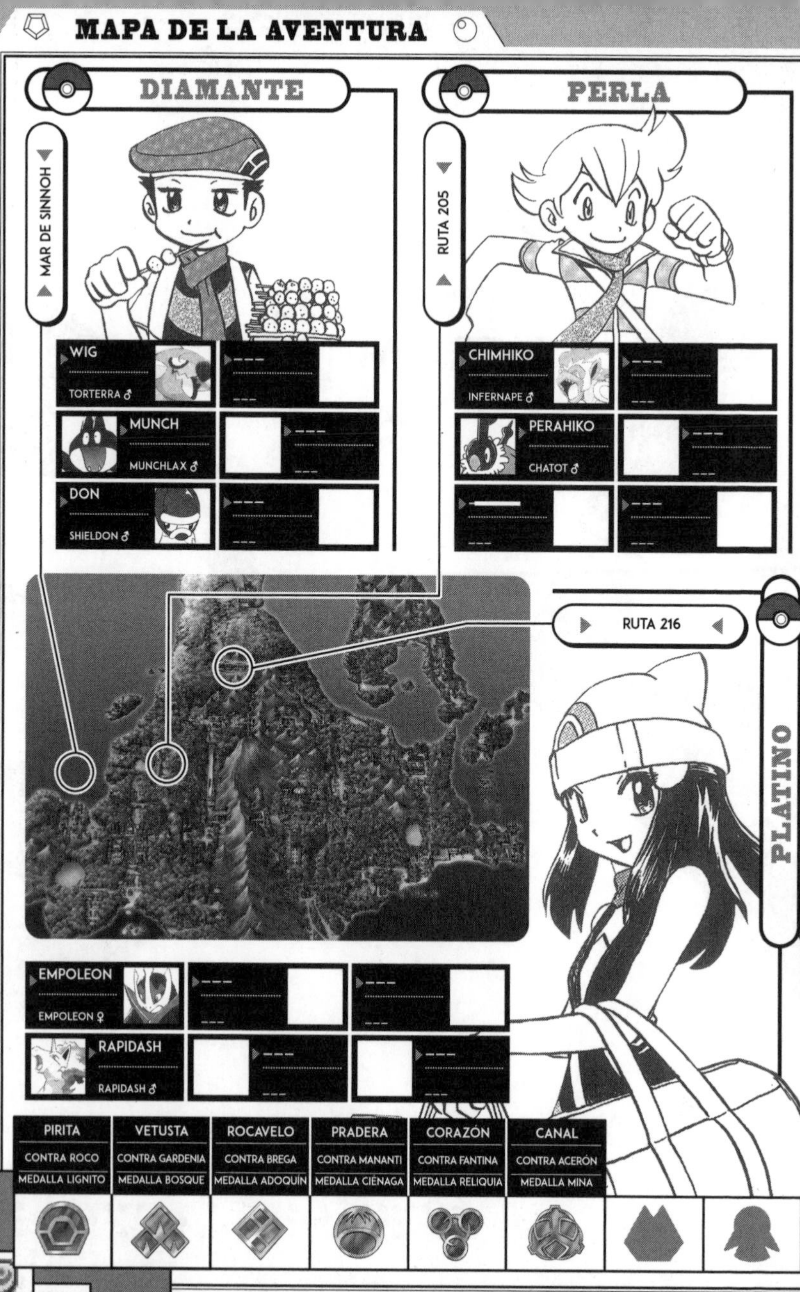

CAPÍTULO 293: CONTRA WINGULL

¡GGG! ¡GGGNNU!

¡UUUF...! ¡GRACIAS, CHIMHIKO!
ARF
ARGH

ARF... ARGH... NO HEMOS HECHO UN MAL TRABAJO SUBIENDO HASTA AQUÍ...

CUANDO VINE CON LA SEÑORITA Y DIA TOMAMOS ESE CAMINO QUE ESTÁ ABAJO.

¡ESTA VEZ NO PUEDO IR POR ALLÍ! ¡LA RUTA ES EMPINADA Y DA UN LARGO RODEO, PERO DEBEMOS EVITAR QUE NOS VEAN!

¡¡HAY QUE OCULTAR NUESTROS MOVIMIENTOS AL EQUIPO GALAXIA!!

¡BIEN, CHIMHIKO, PERA-HIKO!
¡HACIA EL LAGO VALOR!
¡¡LA-GO VA-LOR!!

¡POR CIER-TO, MENUDAS VISTAS HAY DESDE AQUÍ!

¡¡SE PUEDEN VER EL BOSQUE VETUS-TO
Y CIUDAD VETUSTA DE UN SOLO VISTAZO!!

¡AH, AHÍ ESTÁ!
ES EL MISMO EDIFICIO...
¡ESOS PINCHOS LE DAN UN AIRE REALMENTE DURO AL EDIFICIO!
EL QUE LLAMÓ LA ATENCIÓN DE DIA.
¡EN EL TEJADO HAY UN HELIPUERTO!
Y PARECE QUE HOY ESTÁN A TOPE, PORQUE LOS HELICÓPTEROS NO DEJAN DE IR Y VENIR.

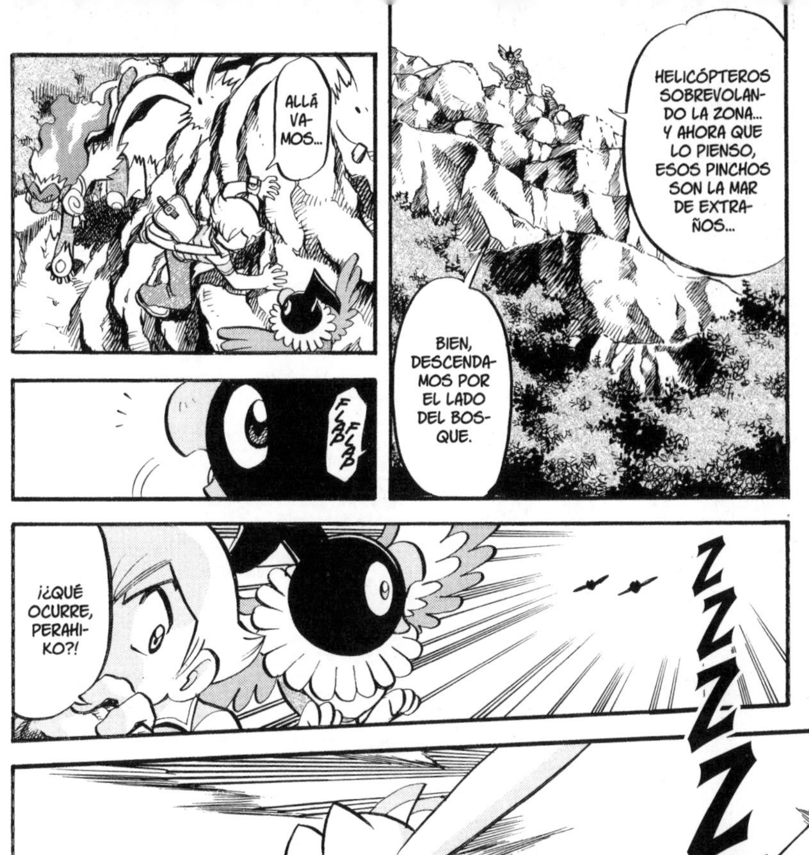
HELICÓPTEROS SOBREVOLANDO LA ZONA... Y AHORA QUE LO PIENSO, ESOS PINCHOS SON LA MAR DE EXTRAÑOS...
BIEN, DESCENDAMOS POR EL LADO DEL BOSQUE.
ALLÁ VAMOS...
FLAP FLAP

¡¿QUÉ OCURRE, PERAHIKO?!
ZZZZZZZZ

BAM
¡¡UAGH!!
BAM
PTOM
¡¡¿PERO QUÉ OCURRE?!!
!!
ZIUUUM
¡¡SON UNOS WINGULL SALVAJES!!
¡¡VIENEN A ATACARNOS!!
¡¡CHIMHIKO, RESPONDE AL ATAQUE!!
¡¡PICOTEO!!
CLAC
CLAC
CLAC
CLAC
¡¡OTRA VEZ!!

CLAC
CLAC
CLAC
CLAC

¡AMBOS SON DE TIPO VOLADOR, PERO PERAHIKO ES SUPERIOR EN VELOCIDAD!
¡¡TAMPOCO VAN A PODER SUPERAR SU CANTIDAD DE MOVIMIEN-TOS!!
AUN-QUE...

BAM BAM BAM BAM
¡¿ESA POSTU-RA...?!
ZAM

SHUUUN
ES UN MOVIMIENTO QUE LES PERMITE RECUPERARSE: ¡RESPIRO!
¡¡CUIDADO, PERAHIKO!!
¡¡LOS ENEMIGOS SE VAN ALTERNANDO Y VUELVEN A ATACAR TOTALMENTE RECUPERADOS!!
CHAC
CHAC
¡¡OH, NO!! ¡PERAHIKO YA NO PUEDE ATACAR!
¿PUEDES IR, CHIMHIKO?
HMPH
GRRRR

¡¡ULTRAPUÑO!!
BAA
AAAUUM

¡¡LOS DOS, VENID AQUÍ!!
LOS MOVIMIENTOS DE TIPO FUEGO Y LOS MOVIMIENTOS DE TIPO LUCHA SON POCO EFECTIVOS CONTRA LOS WINGULL...
¡¡ESTÁ CLARO QUE ES MEJOR BLOQUEAR EL CAMINO Y HUIR QUE SEGUIR COMBATIÉNDOLOS!!

QUÉ... ¿QUÉ OCURRE, CHIMHIKO?
FIU
!!

¡ES UN NIDO! ¡UN NIDO DE WINGULL!
¡AH! ¿ES UN COMPAÑERO HERIDO?

CLARO, POR ESO NOS HAN ATACADO AL ACERCARNOS.
YA VEO.

¡EH, WINGULL!
¡¡YA LO HE ENTENDIDO!! ¡¡PERDONADNOS!!
¡¡SIMPLEMENTE PASÁBAMOS POR AQUÍ!!
¡¡NO TENEMOS NINGUNA INTENCIÓN DE HACER DAÑO AL NIDO O A VUESTRO AMIGO...!!
¡UAH!
FUAAH

U... ¡¡UNA ENORME CORRIENTE DE AIRE!!
FUOOOOSH
!!
¡UAH, UAH, UAH! ¡¡OH, NO!!
¡¡SE LO VA A LLEVAR!!
¡¡¡JUSTO A TIEMPO!!!
ZAS
¡SK!

TAP
TAP
TAP
CHAC

¡HASTA LA VISTA! ¡¡HASTA LA VIS-TA!!
JE, JE... PARECE QUE POR FIN LO ENTIEN-DEN.
BUENO, HASTA LA VIS-TA.

TAP...
TAP TAP TAP
TAP TAP TAP

¡AY!
CLONC
SI ESTO ES EL BOSQUE VETUSTO EL RÍO DEBERÍA CORRER...
¿QUÉ LADO DEL RÍO SERÁ ESTE?
¿QUÉ LADO? ¿QUÉ LADO?
¡¡ME HE DEJADO LLEVAR Y AHORA NO TENGO NI IDEA DE DÓNDE ES-TOOOY!!
¡¿PERO SE PUEDE SABER DÓNDE ESTA-MOOOS?!

FU OOO SH

¡¡UAAAH! ¡¡ESTÁN SALIENDO LLAMAS!!
¿PERO QUÉ ES ESTO?
FORJA...
AH, UN LUGAR DONDE SE FORJA HIERRO...
Forja HIERRO
¿EH?
¿UNA FÁBRICA AQUÍ, AL LADO DEL BOSQUE?

QUÉ CALOR MÁS INTENSO SALE DE AQUÍ...
¿HABRÁ PASADO ALGO AHÍ DENTRO?
¿EH?

ESTÁ TODO PATAS ARRIBA...
QUIZÁ HA HABIDO ALGÚN ACCIDENTE...
!!
¿UH?
FLAP FLAP
¡¡...!!
¡ES...!

ORDEN DE PEDIDO
RGÍA ESPACIAL
¡¡LA RECONOCERÍA EN CUALQUIER SITIO!!
¡ES LA INSIGNIA DE NUESTROS ENEMIGOS! ¡¡EL EQUIPO GALAXIA!!

¿QUÉ RAYOS QUERRÁN FABRICAR AQUÍ ESTOS TIPOS?

AYU... DAAA...

¡¡HE OÍDO ALGO...!!

¡¿QUÉ PUEDO HACER?!
¡¿CÓMO ENTRO AHÍ...?!

ZAM

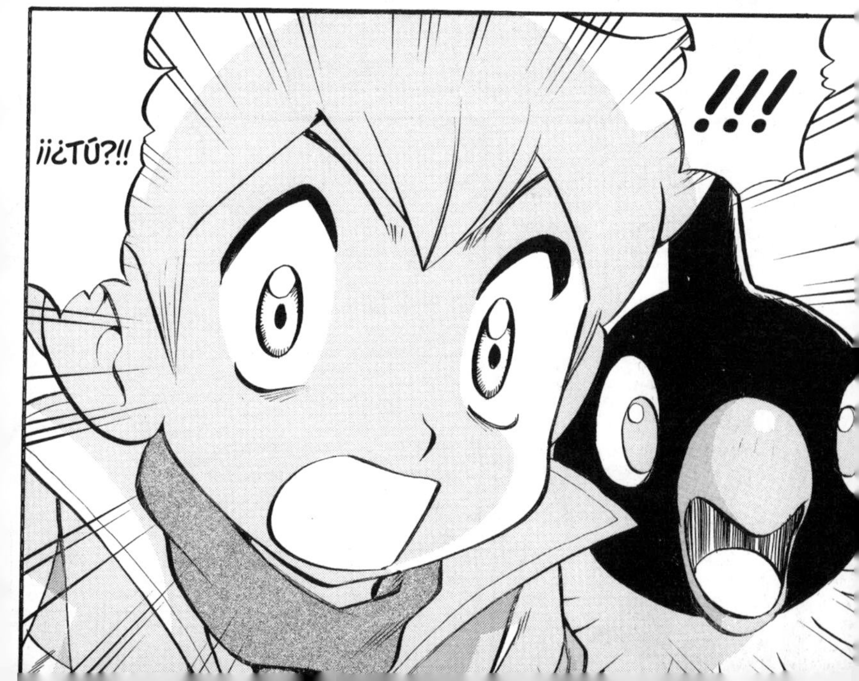
!!!
¡¡¿TÚ?!!

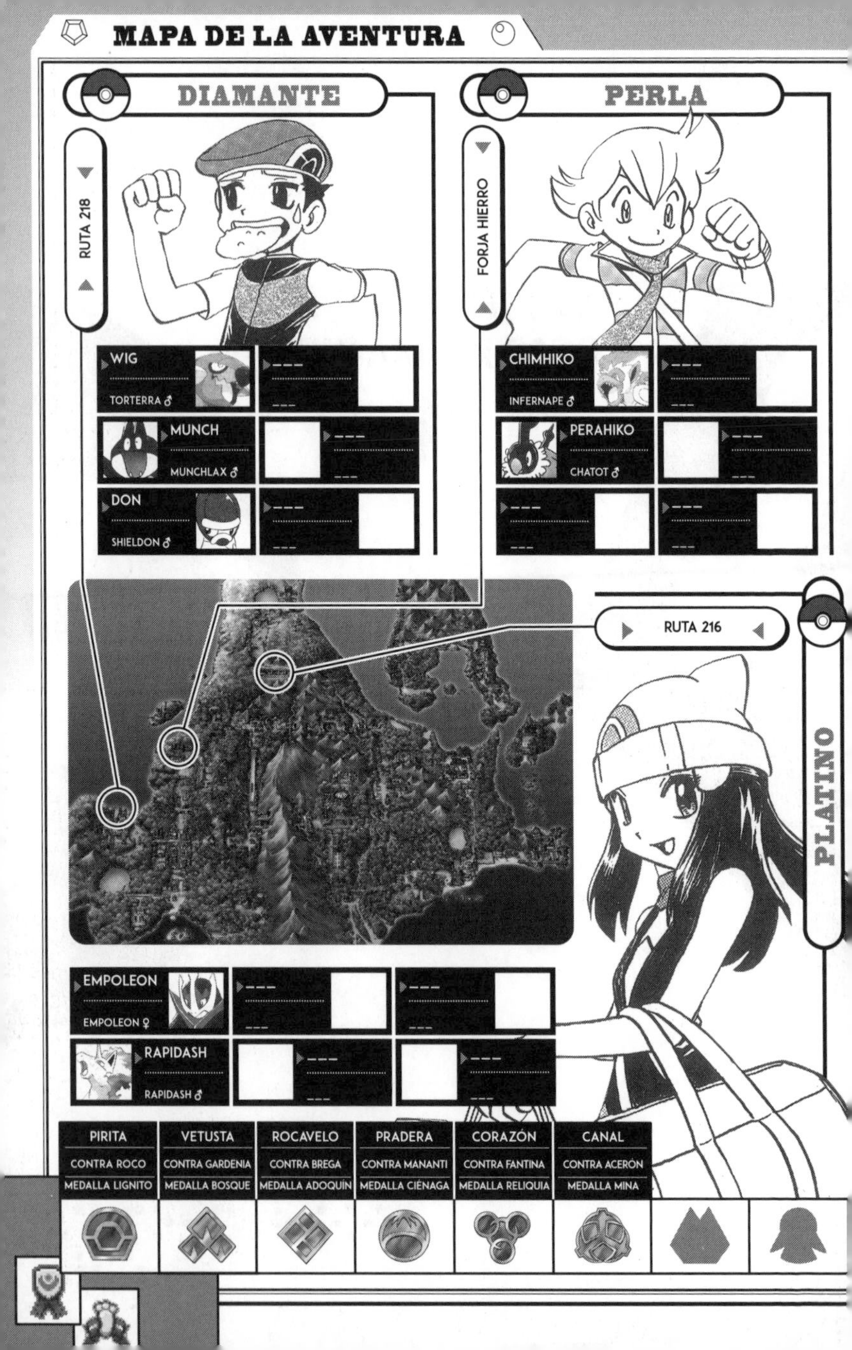

MAPA DE LA AVENTURA
DIAMANTE
RUTA 218
WIG
TORTERRA ♂
MUNCH
MUNCHLAX ♂
DON
SHIELDON ♂
PERLA
FORJA HIERRO
CHIMHIKO
INFERNAPE ♂
PERAHIKO
CHATOT ♂
RUTA 216
PLATINO
EMPOLEON
EMPOLEON ♀
RAPIDASH
RAPIDASH ♂
PIRITA
CONTRA ROCO
MEDALLA LIGNITO
VETUSTA
CONTRA GARDENIA
MEDALLA BOSQUE
ROCAVELO
CONTRA BREGA
MEDALLA ADOQUÍN
PRADERA
CONTRA MANANTI
MEDALLA CIÉNAGA
CORAZÓN
CONTRA FANTINA
MEDALLA RELIQUIA
CANAL
CONTRA ACERÓN
MEDALLA MINA

CAPÍTULO 294: CONTRA MAGBY

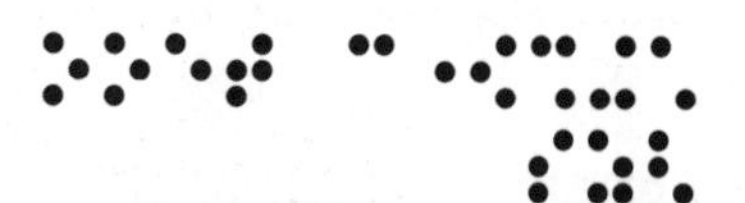

!!!
¡¡¿TÚ?!!

¿ERES...
...TÚ?

¡¡LO IMAGI-NABA!!

NOS ENCONTRAMOS EN LA RUTA 233...
¡¡...MAL!!
SE TE HABÍAN ROTO LAS GARRAS...

¡¿NO ES ASÍ?!
FRAS
UH... OOOH...
¡¡CUÁNTO TIEMPO!!
¡¡CUÁNTO TIEMPOOO!!

¡ES VERDAD! ¡AÚN NO TE HE DADO LAS GRACIAS!
CUANDO QUEDAMOS ATRAPADOS FUISTE TÚ QUIEN NOS ENCONTRASTE, ¿VERDAD?
¡ME LO CONTÓ DIA!
MUCHAS GRACIAS.
ESTÁS HECHO TODO UN VIAJERO.
¡¿Y TODO ESTE SÉQUITO DE ACOMPAÑANTES?!
¡ME DA LA IMPRESIÓN DE QUE ERES EL LÍDER DE LA MANADA!
AYUDAAAA...
¡¡OH, NO!!
¡¡CON TODO ESTO SE ME HABÍA OLVIDADO!!
¡¡HE OÍDO A ALGUIEN PIDIENDO AYUDA!!
¡¡ESTÁ DENTRO DE LA FORJA...!!
Forja FUEGO

PAM
¡¡EH, EL DE DEN-TRO!! ¡¿ME OYEEE?!
PAM
PAM
¡¡AHORA MISMO VOY A AYUDAR-LEEE!!

GGG... ¡¡NO SE ABRE!!
¡¡MECA-CHIS!! ¡¿POR DÓNDE PODRÍA ENTRAR?!

NO HAY MÁS REMEDIO, CHIMHIKO, ¡TEN-DREMOS QUE UTILIZAR EL MÉTODO DE SIEMPRE!
?!

¿ME ESTÁS DICIENDO QUE VAYA CONTIGO?

¡¡UOOOH!!

¿QUE ENTRE POR AQUÍ?
PERO ¿QUÉ HACE AQUÍ ESTE AGUJERO?

TAP
TAP

!!
ZAS
ZAS

QUI... ¡¿QUIERES VENIR CONMIGO?!

GRA... ¡¡GRACIAS!! ¡¡YENDO CONTIGO ME SIENTO MÁS SEGURO!!

¡ESA INSIGNIA AQUÍ NO PUEDE PRESAGIAR NADA BUENO! ¡DEBEMOS RESCATAR A ESA PERSONA SEA COMO SEA!

¡CLANG!

¡UAH!
ZUM
ZOOOOM
¡UAH!
¡UAH!
¡CATACLONC!

AYAYAY... ¡¿PERO QUÉ PASA CON ESTA CINTA TRANSPOR-TADORA?!
¡POR CIERTO, MENUDO CALOR HACE AQUÍ!
BRRRRRR
¿ASÍ ES EL INTERIOR DE UNA FORJA?

¿DÓNDE ESTARÁ LA PERSONA QUE PEDÍA AYUDA?

ESTO ES TERRORÍFI-CO, NO HAY MANERA DE CAMINAR.
PLAS
PLAS
¡¿QUÉ ESTÁ PA-SANDO AQUÍ?!

ZOOOOOM
¡UAAARGH!
PAF

TCHAC

BZZZ

OH, SUS OJOS ESTÁN BRILLANDO...
¡ESTÁ BUSCANDO ALGO...!

¡¡AH!!

DATOS
Nº 405 LUXRAY
POKÉMON CHISPA OJOS
ELÉCTRICO
ALTURA 1,4M
PESO 42,0KG
CUANDO SUS OJOS BRILLAN COMO EL ORO, PUEDE VER PRESAS ESCONDIDAS, INCLUSO DETRÁS DE UN MURO.
¡EXACTO!
¡¡ES SU VISIÓN DE RAYOS X!!

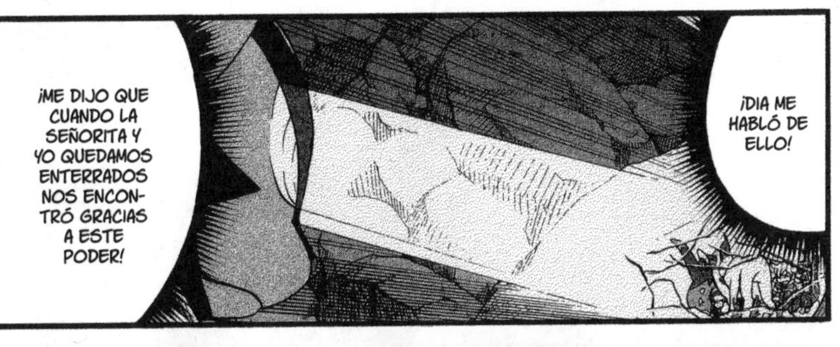
¡DIA ME HABLÓ DE ELLO!
¡ME DIJO QUE CUANDO LA SEÑORITA Y YO QUEDAMOS ENTERRADOS NOS ENCONTRÓ GRACIAS A ESTE PODER!

PLIP

¡LA VISTA DE LUXRAY SE HA DETENIDO!
¡¿ESTÁ EN ESA DIRECCIÓN LA PERSONA QUE ESTÁ PIDIENDO AYUDA?!
¡HMPH!

¿EH? ¿ME VAS A LLEVAR?

ZAS
TOMP
TAH
¡¿ESTÁ AHÍ?!
¡¿HOLAAA?! ¡¿ME OYEEE?!
PAM
PAM
AH...
AAAH...
QU... QUÉ BIEN. ALGUIEN HA OÍDO MI GRITO DE SOCORRO...
HE GRITADO CON TODAS MIS FUERZAS, PERO PARECÍA QUE NO ME OÍA NADIE...
ARF
MI NOMBRE ES FUEGO.
SOY EL RESPONSABLE DE LA FORJA FUEGO.
AGH
¿SEÑOR FUEGO?

¡¿PERO QUÉ LE HA PASADO?!
AL PRINCIPIO SE TRATABA DE UN TRABAJO COMO OTRO CUALQUIERA...
UNA ORGANIZACIÓN NOS ENCARGÓ LA FABRICACIÓN DE UNAS PIEZAS...
¿UNA ORGANIZACIÓN?
SÍ.
LA CORPORACIÓN PARA EL DESARROLLO DE LA ENERGÍA ESPACIAL...
ASÍ ES COMO SE LLAMABAN.
ORDEN DE PEDIDO
NUNCA HABÍA VISTO UNAS PIEZAS ASÍ, PERO NO PARECÍA HABER MOTIVOS PARA RECHAZAR EL ENCARGO, ASÍ QUE LAS CONSTRUIMOS...
PERO ENTONCES, CUANDO LAS PIEZAS ESTABAN LISTAS Y VINIERON A RECOGERLAS...
OÍ ALGO POR CASUALIDAD...
YA DISPONEMOS DE TODAS LAS PIEZAS PARA COMPLETAR LA BOMBA GALÁCTICA. LAS LLEVAREMOS AL CUARTEL GENERAL EN ROCAVELO.
¡¡AH...!!

BOM... ¡¡¿BOMBA?!!
FUE ENTONCES CUANDO VINIERON A POR MÍ PARA SILENCIAR LO QUE HABÍA DESCUBIERTO.
YO CONTRAATAQUÉ E INTENTÉ HUIR, PERO...
¿OS HABÉIS FIJADO EN EL SISTEMA QUE RODEA LA FORJA?
¿LAS CINTAS TRANSPORTADORAS?
SÍ.
EN PLENO COMBATE ACTIVÉ EL SISTEMA ANTICRIMINALES.

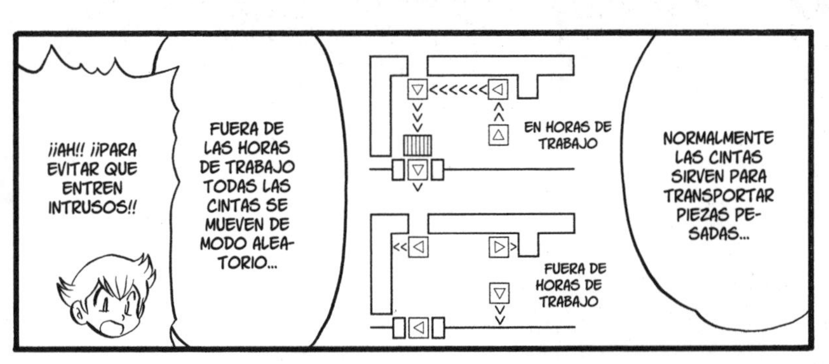
NORMALMENTE LAS CINTAS SIRVEN PARA TRANSPORTAR PIEZAS PESADAS...
EN HORAS DE TRABAJO
FUERA DE HORAS DE TRABAJO
FUERA DE LAS HORAS DE TRABAJO TODAS LAS CINTAS SE MUEVEN DE MODO ALEATORIO...
¡¡AH!! ¡¡PARA EVITAR QUE ENTREN INTRUSOS!!

EXACTO. ESA ES SU OTRA FUNCIÓN, AHUYENTAR A LOS INTRUSOS.
PERO...

ENTIENDO. A PESAR DE SER EL RESPONSABLE, USTED TAMBIÉN QUEDÓ ATRAPADO...
¡¡ESO ES...!!
Y... ¡¡Y LO PEOR...
RAS
ES QUE NO ESTOY...
...AQUÍ SOLO!!

BRRRRR
¡¡EN EL MOMENTO DE MARCHARSE DEJARON AQUÍ ENCERRADOS A TODOS ESTOS POKÉMON!!
¡¡PERA-HIKO!! ¡¡CHIM-HIKO!!
¡¡UAAAH!!
ZAAAM
BAM
BAM

¡¡SEÑOR FUEGO, HABÍA OLVIDADO PRESENTARME!!
¡ME LLAMO PERLA!
¡¡MIS POKÉMON SE ESTÁN ENFRENTANDO A ELLOS...!!
¡¡HE VENIDO A POR USTED!!
¡¡NO LE QUEPA DUDA DE QUE VOY A SACARLO DE AHÍ!!
¡AHORA MISMO...!

¡¡ALLÁ VOOOY!!
¡¡UOOOOOOH!!

¡¡MOVIMIENTO ESPEJO!!
¡¡A BOCAJARRO!!
¡¡PICOTEO!!
¡¡PUÑO CERTERO!!

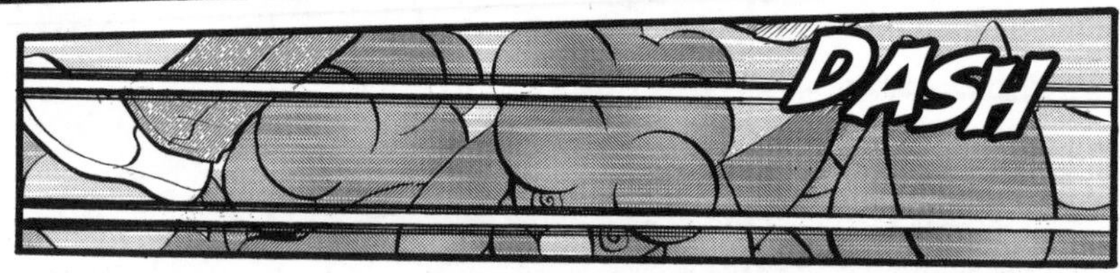
DASH

BIEN. ¡¡HEMOS LOGRADO PASAR!!
ARF
BUF
¡¡¿QUÉ TE PARECE?!!
ARF

VENGA, SIGAMOS ADELANTE.
CHIMHIKO, PERAHIKO, ASEGURAOS DE QUE NO NOS SIGUEN...

ZOOOOM
¡ÁAAAGH!

¡¡OH, NO!! ¡¡SIN DARME CUENTA ME HE SUBIDO A OTRA CINTA TRANSPOR-TADORA!!
ZOOOOM
¡¡Y ADE-MÁS...
...ES LARGUÍ-SIMA!!
¡¿PERO HACIA DÓNDE VA?!

!!

¡¡LOS ALTOS HOR-NOS!!

PUEBLO CAELESTIS.

¡ABUELAAA!
¡OOOH, CINTIA!

¿QUÉ TAL VAN LAS COSAS DESPUÉS DEL ATAQUE?
POR EL MOMENTO TODO SIGUE EN CALMA.

GRACIAS A QUE TE LLAMAMOS...
...Y ORGANIZASTE LAS FUERZAS DE AUTODEFENSA.

ES UN ALIVIO SABERLO.
PERO HAY ALGO QUE ME PREOCUPA.
SE TRATA DE LO QUE DIJO HELIO CUANDO PENETRÓ EN LAS RUINAS.
?

DE ACUERDO CON LAS ESCRITURAS...
SE REFIRIÓ A UNAS ESCRITURAS...

¿SERÁN LOS DOCUMENTOS ANTIGUOS ATESORADOS DESDE LA ANTIGÜEDAD EN PUEBLO CAELESTIS?
ESO ES.
Y MIENTRAS ESTABA ATRAPADA EN EL CAFÉ RODEO
ALGUIEN FORZÓ LA ENTRADA DE MI CASA Y ESTUVO CONSULTÁNDOLOS.

AÚN NO HE CONSEGUIDO DESCIFRAR EL TEXTO.
Y TAMPOCO CREO QUE ELLOS PUEDAN LOGRARLO FÁCILMENTE... PERO NO DEBEMOS SER DESCUIDADOS CON EL ENEMIGO.
NO PUEDEN ACABAR EN SUS MANOS, CREO QUE DEBERÍAS DEJAR QUE SEA YO QUIEN CUSTODIE LAS ESCRITURAS.

UM...
ENTENDIDO.
RUS
RUS

CUÍDALAS BIEN, CINTIA.
SÍ.

¡NO PERMITIRÉ...
...QUE CAIGAN EN LAS MANOS EQUIVOCADAS!

POKéMON
DIAMANTE Y PERLA

INCIDENTE 1

Central del Valle Eólico

¡¡El robo de una enorme cantidad de electricidad!!

¡CERCA DE PUEBLO AROMAFLOR, LA CENTRAL EÓLICA QUE EXTRAE ELECTRICIDAD DE LAS INTENSAS CORRIENTES DE VIENTO HA SIDO ATACADA! ¡SE HA REVELADO QUE EL MOTIVO DEL ATAQUE ERA EL ROBO ENERGÍA!

▲ ¡LA AMENAZA EN LA CENTRAL EÓLICA! ¿PARA QUÉ QUIEREN USAR LA ENERGÍA?

Venus

CINTIA ES LA MISTERIOSA MUJER QUE HA SALVADO AL DUEÑO DE LA TIENDA DE BICIS. ¡LLEGA, INVESTIGA LO OCURRIDO E INTERVIENE LIBERÁNDOLO CON ÉXITO! ¡Y TODO SIN NECESIDAD DE MOSTRARSE ANTE LOS ENEMIGOS! ¡SIGUE ATENTAMENTE TODOS LOS MOVIMIENTOS DEL EQUIPO GALAXIA!

¡Unimos todos los puntos! ¡¡¿Qué objetivo persiguen...?!!

¡UN PLAN QUE AVANZA EN SILENCIO, PERO DE MANERA SEGURA! ¡¡SOBRE LA CADENA DE INCIDENTES QUE SE ESTÁN PRODUCIENDO EN SINNOH PLANEA LA OMNIPRESENTE SOMBRA DEL EQUIPO GALAXIA!! ¡A PRIMERA VISTA PARECEN SUCESOS SIN CONEXIÓN, PERO FORMAN PARTE DE UNA CUIDADOSA ESTRATEGIA! ¡¡NUESTROS PROTAGONISTAS SE HAN TOPADO EN MÚLTIPLES OCASIONES CON DIFERENTES ESLABONES DE DICHO PLAN!!

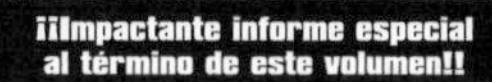

¡¡Impactante informe especial al término de este volumen!!

¡¡¡TODA LA INFORMACIÓN SOBRE EL TEMIBLE EQUIPO GALAXIA!!!

¡UNA OSCURA AMENAZA SE CIERNE SOBRE SINNOH! ¡EL MAL SIGUE SU TERRORÍFICO AVANCE A MEDIDA QUE LA HISTORIA PROSIGUE! ¡¿SERÁS CAPAZ DE ACOMPAÑARNOS MIENTRAS NOS ACERCAMOS AL FINAL?!

INCIDENTE 2

Ciudad Vetusta

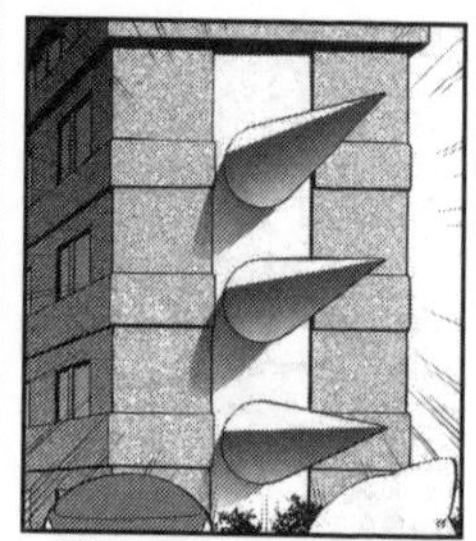

¡¡El secuestro del dueño de la tienda de bicis!!

UNA TIENDA DE BICIS QUE LLEVA ABIERTA DESDE HACE GENERACIONES. A SU DUEÑO LO TENÍAN SECUESTRADO EN EL MISTERIOSO EDIFICIO DE LOS PINCHOS. ¿QUÉ INFORMACIÓN QUERÍAN OBTENER DE ÉL?

OS HE CONTADO TODO LO QUE SABÍA... ¡DE VERDAD!
¡EH, ¿ME ESTÁIS ESCUCHANDO?!

▲ ¡EL DUEÑO DE LA TIENDA INSISTE EN QUE YA SE LO HA CONTADO TODO!

Reclutas

INCIDENTE 3

Monte Corona

¡¡El lugar donde se siente la energía de la tierra!!

¡EN EL MONTE CORONA, LA CORDILLERA QUE DIVIDE EN DOS EL CENTRO DE SINNOH, BULLE UNA INGENTE CANTIDAD DE ENERGÍA! ¡¡LOS DESPRENDIMIENTOS DE TIERRA QUE OCURREN EN SU INTERIOR SE TRAGAN A PERSONAS Y POKÉMON!!

▲ ¡SUS POKÉMON HAN EVOLUCIONADO! HA ACUDIDO AL MONTE CORONA PARA SENTIR EL ORIGEN DEL MUNDO.

Helio

INCIDENTE 4

Torre Perdida

¡¡El Equipo Galaxia necesita fondos y planea secuestrar a la Señorita!!

LA ORGANIZACIÓN NECESITA CAPITAL PARA COMPLETAR LA BOMBA GALÁCTICA Y HA PUESTO SUS OJOS SOBRE LA RICA FAMILIA BERLITZ. ¡PARA ELLO INTENTAN ELIMINAR A LOS DOS GUARDAESPALDAS EN UNA FIERA PELEA!

▲ ¡HAY TUMBAS POKÉMON Y EN EL INTERIOR DE LA TORRE TIENEN LUGAR FIEROS COMBATES!

Saturno

¡EL ENEMIGO REÚNE TODOS LOS PSYDUCK QUE PUEDE ENCONTRAR Y BLOQUEA LA RUTA 210 PARA CONDUCIR INGENIOSAMENTE A LOS FENOMENALES GUARDAESPALDAS DE LA SEÑORITA HACIA LA TRAMPA DE CIUDAD ROCAVELO!

INCIDENTE 5

Rocavelo

¡Una batalla campal en el centro de la ciudad!

¡LOS GUARDAESPALDAS SON CONDUCIDOS HACIA UNA TRAMPA Y SON ATACADOS EN PLENA NOCHE! ¡INTENTAN CONTENER EL ASALTO DE UNAS TROPAS ESPELUZNANTES Y PROTEGER A LA SEÑORITA!

¡¡NO ME BASTA CON QUE LES OBLIGUÉIS A REVELAR SU PARADERO!!

▲ ¡LA CRUELDAD DE LOS ENEMIGOS NO DEJA DE AUMENTAR!

Saturno

INCIDENTE 6

Lago Valor

¡¿Por qué han restringido la entrada al lago?!

¿POR QUÉ SE HA PROHIBIDO EL PASO A LAS INMEDIACIONES DEL LAGO? ¡HAN PUESTO A DOS TESTARUDOS VIGILANTES PARA CAPTURAR Y REPELER INTRUSOS! ¡LA SEÑORITA Y DIA HAN LOGRADO ESCAPAR DE ELLOS!

▲ UN POKÉMON QUE ATACA HACIENDO MÚSICA. ¿CÓMO SE LE PUEDE VENCER?

Rudos investigadores

INCIDENTE 7

Pueblo Caelestis

¡¡En el interior de las ruinas hay unas pinturas secretas!!

¡CAELESTIS, EL PUEBLO HISTÓRICO! EN EL INTERIOR DE SUS GRUTAS HAY UNAS PINTURAS QUE ESTÁ PROHIBIDO CONTEMPLAR, PERO UN SINIESTRO HOMBRE IRRUMPE EN LA CUEVA CON EL OBJETIVO DE FOTOGRAFIARLAS.

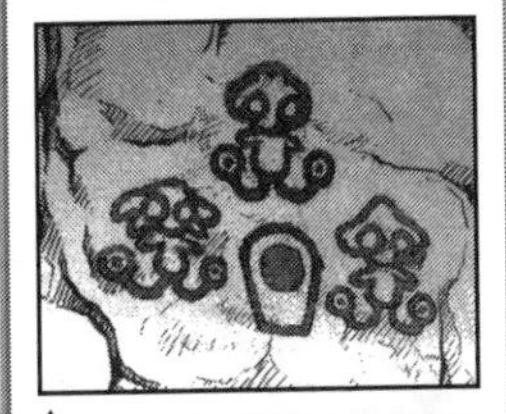

Helio

▲ EL HOMBRE QUE SE HACE LLAMAR HELIO. ¡ESTÁ VINCULADO AL INCIDENTE DE LOS LAGOS! PRETENDÍA FOTOGRAFIAR LAS PINTURAS SECRETAS...

¡EN PLENA BATALLA UN RAYO DE NATURALEZA DESCONOCIDA SE TRAGA A LOS DOS GUARDAESPALDAS! ¡UN ARMA ABSOLUTAMENTE TERRORÍFICA! ¿VOLVERÁN A VERLOS ALGUNA VEZ?

QUIÉN LES HA DADO INSTRUCCIONES ES HELIO, EL PRESIDENTE DE LA CORPORACIÓN PARA EL DESARROLLO DE LA ENERGÍA ESPACIAL.

SU OBJETIVO ES... ¡¡¡EL UNIVERSO!!!

EN VARIAS OCASIONES HAN APARECIDO LAS PALABRAS CLAVE "UNIVERSO" Y "ESPACIO". PARECE CLARO QUE EL OBJETIVO ÚLTIMO DEL EQUIPO GALAXIA TIENE QUE VER CON ELLO. PASAMOS A TRATAR EN DETALLE LA ORGANIZACIÓN Y SUS COMANDANTES.

INCIDENTE 8

Ciudad Canal

¡¡El enemigo obtiene el capital del modo más cobarde!

LOS ENEMIGOS HAN INTENTADO SIN FORTUNA SECUESTRAR A LA SEÑORITA. AL FIN HAN LOGRADO LA FINANCIACIÓN HACIENDO CREER A SU PADRE QUE LO HABÍAN CONSEGUIDO. ¡TAMBIÉN SE HA REVELADO PARA QUÉ NECESITABAN TAN ASTRONÓMICA SUMA!

NOSOTROS, EL EQUIPO GALAXIA...

▲▼ ¡DICE CLARAMENTE EL NOMBRE Y PROPÓSITO DE LA ORGANIZACIÓN!

INCIDENTE 9

Isla Hierro

¡¡Espías y aura maligna!!

EL ENEMIGO SE JACTA DE PODER SEGUIR TODOS LOS PASOS DE NUESTROS PROTAGONISTAS SIRVIÉNDOSE DE ARTILUGIOS COMO CÁMARAS Y MICRÓFONOS MÓVILES.

▲ LOS CABEZAS RAPADAS TOMAN COMO REHÉN UN HUEVO POKÉMON. ¿DE QUIÉN HABRÁ SIDO LA COBARDE IDEA?

Cabezas rapadas

LOS LÍDERES DE GIMNASIO DE SINNOH TAMBIÉN SABEN ALGO DE SUS MOVIMIENTOS MALIGNOS. LOS QUE MEJOR CONOCEN LA ORGANIZACIÓN SON ESTE PADRE E HIJO, QUE TRABAJAN CONJUNTAMENTE. ¡AHORA MISMO ESTÁN TRAZANDO UN PLAN PARA COMBATIRLOS!

ES PORQUE A MI REGRESO TAMBIÉN HE PASADO POR CIUDAD CANAL.
POR CIERTO, VOLVIENDO A LO QUE HABLÁBAMOS ANTES...

LOS INVESTIGADORES HABLAN DE LA CORPORACIÓN PARA EL DESARROLLO DE LA ENERGÍA ESPACIAL. DIA Y PERLA OYEN POR PRIMERA VEZ HABLAR DE UN HOMBRE LLAMADO HELIO. ¡¿PERO QUIÉN ES ESTA PERSONA?!

...ntimidante y abrumador... ¡¡Jefe de la organización!!

HELIO

QUIEN CONTROLA LA ORGANIZACIÓN ES HELIO. SE REFIERE AL EQUIPO GALAXIA, PERO EN REALIDAD QUIEN DETENTA EL PODER SOBRE TODOS LOS MIEMBROS ES ÉL MISMO GRACIAS A LA FUERZA DE SU CARISMA. SABE MANTENER LA CALMA Y NO CAMBIA SU ACTITUD, NI SIQUIERA CUANDO LOS PLANES SE TUERCEN.

PERSONAJE

Su poder como entrenador

¡CUANDO UTILIZA SU GRITO DE GUERRA LOS POKÉMON REACCIONAN AUMENTANDO SU PODER! SU CAPACIDAD ES TAN ABRUMADORA QUE PARECE IMPOSIBLE ACERCARSE A ÉL. SERÍA UNA TEMERIDAD ENFRENTARSE A ÉL SIN TENER UNA FUERZA SIMILAR.

▼ GENERANDO FUERTES VIENTOS EN CAELESTIS.

"TRABAJAMOS PARA LLEVAR LA ENERGÍA DEL ESPACIO A TODOS..."
¡¡ESE ANUNCIO DE LA TELE!!

¡¡Su papel público es el de presidente de la corporación!!

TRAS EL INCIDENTE DEL LAGO VALOR SE HA COMPROBADO QUE EL EQUIPO GALAXIA MANTIENE UNA IDENTIDAD PÚBLICA A TRAVÉS DE LA CORPORACIÓN. GRACIAS A LOS ANUNCIOS EN LA TELEVISIÓN LA GENTE LA CONSIDERA UNA EMPRESA NORMAL.

¡¡Su objetivo es crear un universo nuevo!!

SUS ACCIONES SE BASAN EN UNA CONVICCIÓN CLARA. HA LLEGADO A LA CONCLUSIÓN DE QUE TODO DEBE OBSERVARSE A UNA ESCALA CÓSMICA.

¡¡AMPLIAD VUESTRA MIRADA Y HACED SITIO AL UNIVERSO ENTERO!!
¡ESO ES!

▲ ¡UNA MIRADA INTENSA!

LOS POKÉMON QUE HA HECHO EVOLUCIONAR PERSONALMENTE EN EL MONTE CORONA SON REALMENTE IMPRESIONANTES. TAMBIÉN POSEE OTROS MIEMBROS PODEROSOS, DE EQUILIBRIO SIN IGUAL.

¡ES CAPAZ DE MANEJAR LA NIEBLA A SU ANTOJO! ▶

▲ SE DESCONOCE SU LUGAR DE ORIGEN.

POSEE UN AEROCOCHE, UNA CÁMARA ESPECIAL Y TODO UN EQUIPO DIGITAL. SE EMPEÑA EN FIRMAR SIEMPRE CON UNA PLUMA DE HONCHKROW.

Una máquina con la que jugaba cuando era pequeño.

SE RUMOREA QUE HELIO ES DE "LA CIUDAD DONDE BRILLA EL SOL". ESTÁ SIEMPRE EN LA VANGUARDIA DE LAS ÚLTIMAS TECNOLOGÍAS. ¿ESTARÍA TAN SEGURO DE SÍ MISMO CUANDO SOLO ERA UN NIÑO?

AH, ES VERDAD...
QUÉ PESADO...
¡¡NO TIENES PERMISO PARA CRUZAR ESA LÍNEA!! ¡ESTA ES MI SALA DE MANDO!
FIU

▲ SU FRASE FAVORITA ES "QUÉ PESADO", Y SU DESTINATARIO SUELE SER SATURNO.

¡Una comandante sin piedad!

VENUS

UN COMANDANTE QUE HACE LAS COSAS A SU MODO. A PRIMERA VISTA PARECE ESPONTÁNEA Y DESPREOCUPADA, PERO SU DEVOCIÓN POR LA TÁCTICA NO CONOCE LÍMITES. EL PLAN TIENE DIFERENTES FASES Y ELLA ES LA ENCARGADA DEL ROBO DE ENERGÍA. ¡¡HA INYECTADO A LA BOMBA GALÁCTICA LA ENORME CANTIDAD DE ENERGÍA ELÉCTRICA ROBADA EN LA CENTRAL EÓLICA...!!

¿Y TU MISIÓN? ¿NO TIENES OTRA COSA QUE HACER QUE VENIR AQUÍ A MOLESTARME? ¿CÓMO VA LA ACUMULACIÓN DE ENERGÍA?
¡POR AQUÍ VA BIEN! ¡YA NO QUEDA MUCHO PARA COMPLETAR LA BOMBA GALÁCTICA!

▲ LOS FONDOS HAN SERVIDO PARA FINALIZAR LA CONSTRUCCIÓN DE LA BOMBA GALÁCTICA. ¡EL DÍA DE SU DETONACIÓN ES INMINENTE!

Encargado de la bomba. Es hábil trabajando en la oficina

SATURNO

SU FUERTE ES EL CONTROL REMOTO, Y APENAS SE MUEVE DE LA SALA DE MANDO. SATURNO PREFIERE UTILIZAR UNA CÁMARA AÉREA CON MICRÓFONO INCORPORADO. ¡¡HA DISEÑADO UN PLAN PARA RECAUDAR FONDOS!!

▲ ¡PRONTO DESCUBRIREMOS SU CARACTERÍSTICA ESTRATEGIA!

¡¡Aún no conocemos al tercer comandante!!

CERES

¡NO CONOCEMOS AL TERCER COMANDANTE, PERO SU PODER ES IGUAL O SUPERIOR AL DE VENUS Y SATURNO! ¡SE DICE QUE EN EL COMBATE ES EL ADVERSARIO MÁS TEMIBLE!

DIAGRAMA DE LA ORGANIZACIÓN

JEFE HELIO

COMANDANTES

?	CERES	SATURNO	VENUS
	SUBORDINADOS	SUBORDINADOS	SUBORDINADOS

¡HAY UN EQUIPO DE EXPERTOS DENTRO DE LA ORGANIZACIÓN A QUIEN SE HA CONFIADO UNA INVESTIGACIÓN ESPECIAL!

▲ CADA DÍA IMPLEMENTAN TECNOLOGÍAS DESCONOCIDAS. TAMBIÉN DESARROLLAN NUEVOS APARATOS.

RECLUTAS

LOS MIEMBROS RASOS SIGUEN LAS ÓRDENES DE CADA COMANDANTE. ¡SE MUEVEN SINCRONIZADOS POR UNA SINIESTRA CONCIENCIA COLECTIVA Y LOS LLAMAN "RECLUTAS"!

EN EL COMBATE LE GUSTA RECURRIR A TORMENTAS DE ARENA Y ONDAS DE CHOQUE. ▶

Bronzor

Purugly

?

Zubat

LA HABILIDAD ANTICIPACIÓN DE CROAGUNK ES SU PRINCIPAL FUERZA. ¡EL ATAQUE SORPRESA TAMBIÉN ES SU PUNTO FUERTE! ▶

?

Croagunk

?

Abra

¡¡ESTOS SINIESTROS POKÉMON RESERVAN SUS FUERZAS PARA EL MOMENTO DE ENTRAR EN COMBATE!! ▶

?

?

?

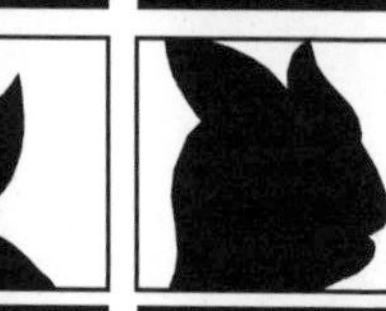

?

CAPÍTULO 295: CONTRA HOUNDOOM

FUOOOOH
VOY...
¡VOY DE CABEZA AL HORNO!
¡¡AHÍ DENTRO LAS TEMPERATURAS SON TAN ALTAS QUE HASTA EL HIERRO SE FUNDE!! ¡¡SI CAIGO AHÍ...
...ESTOY ACABADO!!
¡¡PARADLO!! ¡¡PARADLOOO!!
PAM
PAM
¡¡¡LUXRAY!!!
ZAS
!!

ZAM
¡¡NO!!
¡¡TE QUEMARÁS...!!
CHAC

FUOSH
PAM
¡¡LUXRAY!!
ARF
ARF
BUM
ZUUU
FSSSH
....!!
TOMP

ME HAS PROTEGIDO...
¡¡AH!!
¡¡¿POR QUÉ TE HAS ARRIESGADO ASÍ...?!!
ME HAS SALVADO.
¡GRACIAS!
PERO...
¿HASTA DÓNDE NOS HAS TRAÍDO...?
¡¡LOS HEMOS ENCONTRADO!! ¡¡ESTÁN ALLÍ!!
¡¡ES EL SEÑOR FUEGO!!
AUNQUE PARA LLEGAR HASTA AHÍ...
...
LUXRAY... TE HAS QUEMADO POR SALVARME, ASÍ QUE ME DUELE VOLVER A PEDIRTE AYUDA.
TAMBIÉN...
...SÉ QUE TE PIDO ALGO MUY DIFÍCIL, PERO ¡¿PUEDES AYUDARME UNA VEZ MÁS?! ¡¿ME PRESTARÁS TU FUERZA?!

NECESITO QUE ME LLEVES ADONDE ESTÁ EL SEÑOR FUEGO.
Y QUE ME AYUDES CON TU VISIÓN DE RAYOS X.

LAS PAREDES, LOS CONTENEDORES Y TONELES...
NO DEJAN VER LAS FLECHAS EN LOS INTERRUPTORES DE LAS CINTAS TRANSPORTADORAS...

ANTES ME HE TROPEZADO CON OTRA DE ESTAS CINTAS
Y CASI NO LO CUENTO...
...AUNQUE ALGUNA DE ELLAS...
ZUM
...TIENE QUE LLEVARNOS ADONDE ESTÁ ÉL.

FLECHAS QUE GUÍAN EN LA DIRECCIÓN CORRECTA,
Y FLECHAS QUE GUÍAN EN UNA DIRECCIÓN ERRÓNEA.
GRACIAS A TUS RAYOS X PODREMOS DISTINGUIR HACIA DÓNDE VAMOS.

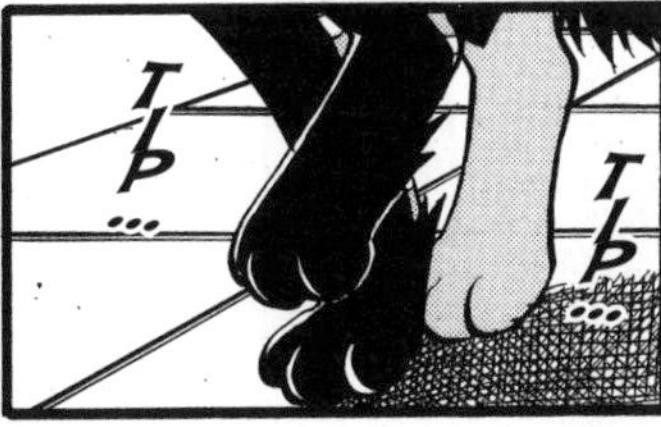
TP...
TP...

BUF...
ES COMO CAMINAR EN UNA CUERDA FLOJA...

UNA VEZ RESCATEMOS AL SEÑOR FUEGO Y REGRESEMOS TE CURARÉ.
AHORA DEBEMOS EXTREMAR EL CUIDADO...
BUF, HACE DEMASIADO CALOR...
NOS HEMOS ALEJADO DE LOS ALTOS HORNOS Y AUN ASÍ NO BAJA LA TEMPERATURA...
¡¡AUUUU!!

¡ESE AULLIDO SUENA COMO SI SALIERA DEL MISMÍSIMO INFIERNO!

A ESO SE DEBÍA ESTE CALOR... ¡PARECE QUE EL EQUIPO GALAXIA NO SOLO HA DEJADO ATRÁS EL GRUPO DE MAGBY!

¡¡UN POKÉMON SE ACERCA POR DETRÁS...
...EMITIENDO UN INTENSO CALOR!!
TOMP
TOMP

¡ES UN POKÉMON SINIESTRO!
¡HOUNDOOM!
¡¡NO TE GIRES, LUXRAY!!
¡CONCÉNTRATE EN EL CAMINO QUE TENEMOS DELANTE!
¡SIGUE USANDO LOS RAYOS X PARA BUSCAR AL SEÑOR FUEGO!
¡¡ESCÚCHAME!!
GRAAAR
TE IRÉ DANDO ÓRDENES PARA EVITAR EL ATAQUE DEL ENEMIGO...
CHIN
¡¡AHORAAAA!!
¡¡A LA IZQUIERDA!!
FWOOSH

¡BIEN!
¡CONFÍA EN MÍ, Y SIGUE MOVIÉNDOTE COMO TE DIGO!
¡¡AHORA A LA DERECHA!!
ZAS
FWOOOSH
SWASH

¡QUÉ PODER TAN TERRIBLE! ¡¡DEBE DE HABER USADO MAQUINACIÓN PARA AUMENTAR LA FUERZA DE LAS LLAMAS!!
FUAASH

¡¡OTRA VEZ A LA DERECHA!!
FWOSH
BOM
¡¡Y AHORA A LA IZQUIERDA!!

¡¡DE NUEVO A LA DERECHA...!!
¡¡AH!!
FUOOOSH

¡¿TE HA DADO?!
¡¿ESTÁS BIEN?!

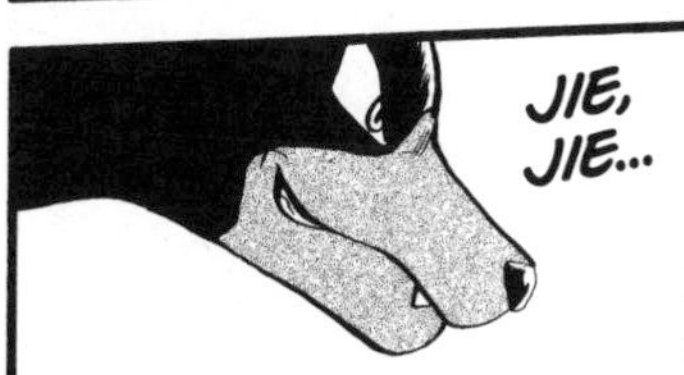
JIE, JIE...

¡¡SE ESTÁ REGODEANDO EN SU TRIUNFO!! ¡¡PIENSA QUE LUXRAY ESTÁ TAN CONCENTRADO EN LAS FLECHAS...
...QUE NO PUEDE HACER NADA CONTRA ÉL!!
¡¿QUÉ PODEMOS HACER?! ¡¡SI SEGUIMOS EVITANDO EL ENFRENTAMIENTO...
TARDE O TEMPRANO ACABARÁ CON NOSOTROS...!!

WOSH

LO... ¡¡LO SIENTO, LUXRAY!!
ZUAASH
ÑUC

!!
GRRR

LUX-RAY...
¡¡INCREÍBLE, PIENSA SEGUIR ADELANTE...!! ¡¡COMO SI NO HUBIERA OCURRIDO NADA...!!

¡¡TIENE UNA VOLUNTAD INQUEBRANTABLE...!!
¡¡Y SIGUE CONFIANDO EN MIS ÓRDENES!!
¡¡¿PERO QUÉ PUEDO HACER PARA ESTAR A LA ALTURA DE LA CONFIANZA QUE LUXRAY HA DEPOSITADO EN MÍ?!!

GRRR
¡¡BIEN!!

¡¡IZQUIERDA!!
GUARG

¡¡OTRA VEZ A LA IZQUIERDA!!
TOMP

¡¡DERECHA!!
TOMP

CRECH
ZUU

URG...

SÍ, LUXRAY SE HA GIRADO.
¿SABES QUÉ SIGNIFICA, HOUNDOOM?
¿SABES QUÉ SIGNIFICA QUE SE HAYA DADO LA VUELTA?
PUES QUE HEMOS ESCAPADO.

HEMOS LOGRADO ATRAVESAR LAS CINTAS TRANSPORTADORAS Y HEMOS LLEGADO A NUESTRO DESTINO.

AL CONFIAR EN MÍ SE HA CONCENTRADO Y HEMOS ATRAVESADO LAS CINTAS.

¡LO QUE QUIERE DECIR...!
CHIN
CHIN

FRZZZ
¡¡QUE YA NO TENEMOS QUE PREOCUPARNOS POR PERDER EL EQUILIBRIO!!
¡¡ONDA VOLTIO!!
PTOM
ZOOOM
CLONC
CRAS
PLANK
ZIU

DESDE AQUÍ SE CORTA LA ELECTRICIDAD DE LAS CINTAS TRANSPORTADORAS.

KACHANC

¡BIEN!
¡YA HE ACABADO DE CURARTE, LUXRAY!
MUCHAS GRACIAS POR TODO LO QUE HAS HECHO POR MÍ... Y POR SALVARME DE NUEVO LA VIDA.
...
FRZZ FRZZ
?!
ZAS
¿ESTÁS DICIENDO QUE QUIERES VENIR CONMIGO? ¿VAS A APARTARTE DE TU MANADA?
¿ESTÁS SEGURO?
¿QUIERES FORMAR PARTE DE MI EQUIPO?
¡HMPH!

¡ENTEN-
DIDO...!
ENTONCES...
DESDE HOY
ERES...
¡¡TORA-
HIKO!!
¡TORA-
HIKO,
TORA-
HIKO!
¡BIEN, SEÑOR
FUEGO!
AHORA QUE LE
HE SALVADO...
?
¡ENSÉÑE-
MELOS!
¡LOS
DOCUMENTOS
DE LAS PIEZAS
DE LA BOMBA
GALÁCTICA!

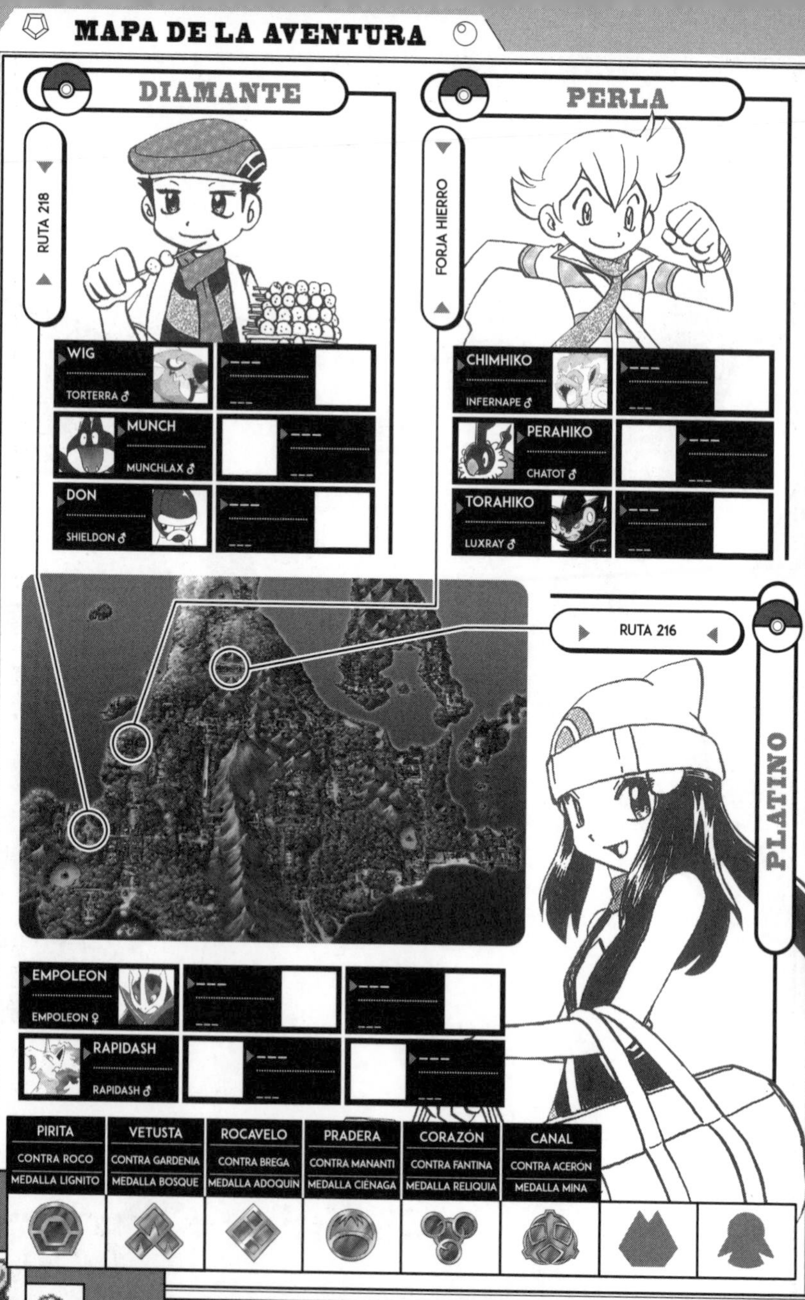
MAPA DE LA AVENTURA
DIAMANTE
RUTA 218
WIG
TORTERRA ♂
MUNCH
MUNCHLAX ♂
DON
SHIELDON ♂
PERLA
FORJA HIERRO
CHIMHIKO
INFERNAPE ♂
PERAHIKO
CHATOT ♂
TORAHIKO
LUXRAY ♂
RUTA 216
PLATINO
EMPOLEON
EMPOLEON ♀
RAPIDASH
RAPIDASH ♂
PIRITA
CONTRA ROCO
MEDALLA LIGNITO
VETUSTA
CONTRA GARDENIA
MEDALLA BOSQUE
ROCAVELO
CONTRA BREGA
MEDALLA ADOQUÍN
PRADERA
CONTRA MANANTI
MEDALLA CIÉNAGA
CORAZÓN
CONTRA FANTINA
MEDALLA RELIQUIA
CANAL
CONTRA ACERÓN
MEDALLA MINA

CAPÍTULO 296: CONTRA GRAVELER

RUTA 216.

EL ES-QUÍ,
UN DEPORTE DE MON-TAÑA...
...DONDE SE SUJETAN LOS PIES A TABLAS ESPECIALES Y UNO SE DESLI-ZA POR UNA PENDIENTE LLENA DE NIEVE.
GLUP
FIUUUUUU
¡¡OYE, CHICA!!
¡LEVAS AHÍ UN RATO SIN DESLIZARTE! ¡¿ERES NOVATA?!

NO. SÉ ESQUIAR PERFECTAMEN...
SÍ, SOY NOVATA. TAMBIÉN ES LA PRIMERA VEZ QUE ME PONGO LAS BOTAS Y LOS ESQUÍS.
AH, PUES NO TE PREOCUPES, YA TE ENSEÑO.
DESCUIDE, HE LEÍDO CON DETENIMIENTO TODOS LOS LIBROS PARA PRINCIPIANTES QUE EXISTEN, Y ADEMÁS LOS HE MEMORIZADO.
¡¿EEEEH?!
¡¡SEPARAR LAS PIERNAS A LA DISTANCIA DE LOS HOMBROS...!!
CLAC CLAC
¡¡ECHAR EL PESO SOBRE LAS PUNTAS DE LOS PIES...!!
¡¡DOBLAR LAS RODILLAS LIGERAMENTE...!!
¡¡RELAJAR TODO EL CUERPO...!!
¡¡MANTENER LA MIRADA A LO LEJOS...!!
SHAAAA
¡UAH!
¡UAH!

¡¡TODO ES...
...CUESTIÓN DE EXPERIENCIA!!
¡¡EXPERIENCIA!!
¡¡VAMOS A CHOCAAAR...!!
¡¡TELETRANSPORTE!!
FLASH
OH...
UAH... UAAAH...
¡UAAAH! ¡¡HA VUELTO!!
HUY, HUY, HUY...
ZIUUUUU

¡¡TELE-
TRANS-
POR-
TE!!
¡POP!
¡DESDE LUEGO, QUÉ CHICA MÁS TERRIBLE! ¡PARECÍA ADORABLE, PERO ESTO NO HAY QUIEN LO AGUANTE!
¡ADIÓS MUY BUE-NAS!
U... ¡¡UN MOMEN-TO!!
N... NO, CONTRÓ-LATE...
HE APREN-DIDO BIEN CÓMO HAY QUE DETENERSE... PRIMERO HAY QUE PONER...
SHAAAAA
¡¡SI ME ABANDONA EN ESTA PENDIEN-TE...!!
...LOS ES-QUÍS...
¡¡JAAAH!!
PATAPAF

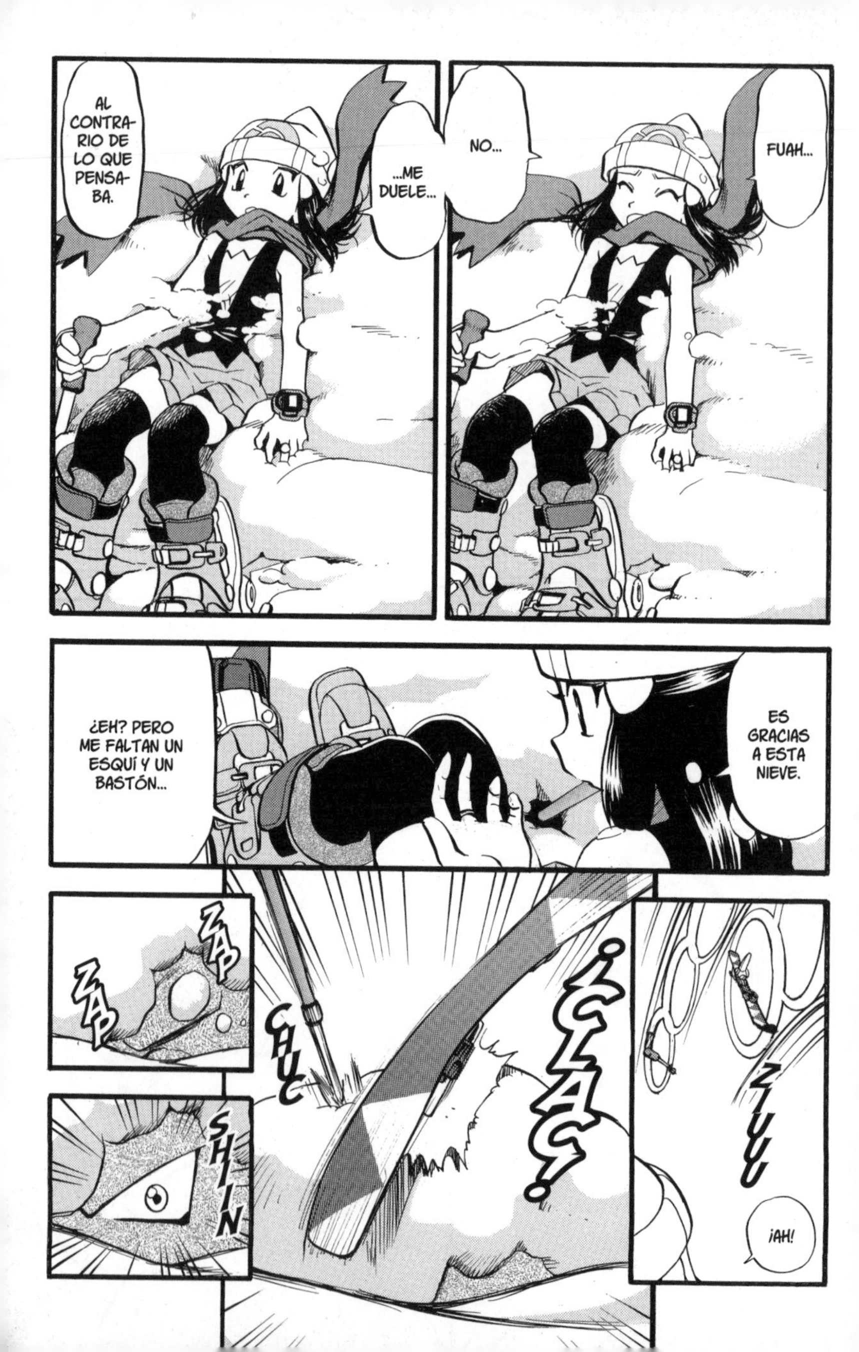
FUAH...
NO...
...ME DUELE...
AL CONTRARIO DE LO QUE PENSA-BA.
ES GRACIAS A ESTA NIEVE.
¿EH? PERO ME FALTAN UN ESQUÍ Y UN BASTÓN...
ZIUUU
¡AH!
¡CLAC!
CHUC
ZAP
ZAP
SHIN

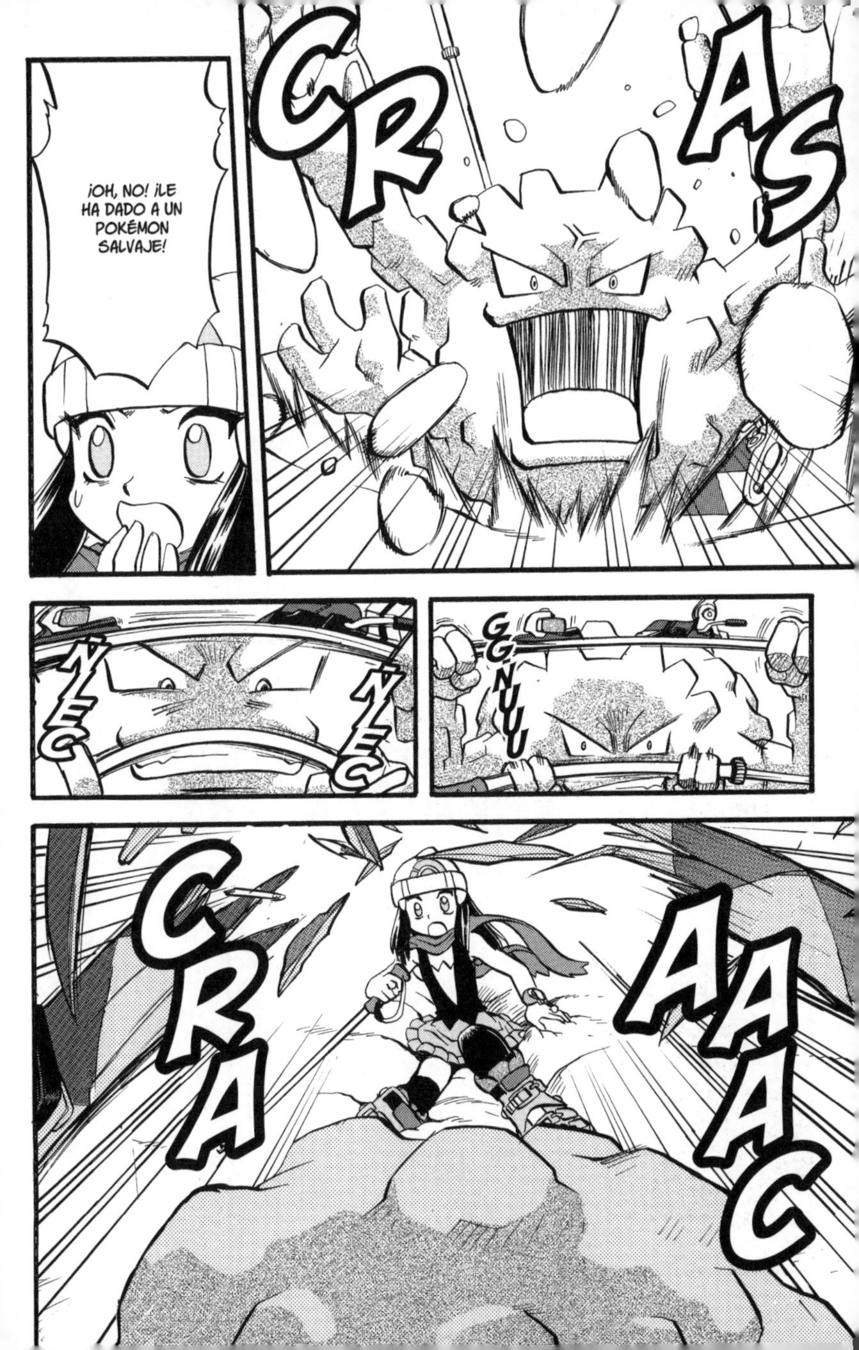
CRAS
¡OH, NO! ¡LE HA DADO A UN POKÉMON SALVAJE!
GGNUUU
ÑEC
ÑEC
CRAAAAC

EH... ES-TOOO...
HA SIDO UN ACCIDENTE, NO LOS HE LANZADO PARA DARTE. NO TE ENFADES, POR FAVOR.
ZAS ZAS
CRUNCH
CRUNCH
NO PARECE QUE ATIENDA A RAZONES.
¡POM!
¡¡¡EMPOLEON!!!
¡NO HACE FALTA QUE LO DEJES FUERA DE COMBATE! SOLO QUIERO PONER LA SITUACIÓN BAJO CONTROL. ¿PUEDES HACERLO?
RRR
RRR

ZOOOM
BAUM
¡FUAH!
¡QUÉ PUÑETAZO MÁS FUERTE!
¡¡ES UN MOVIMIENTO LLAMADO MACHADA!!

¡¡AGUANTA!! ¡¡AL USAR ESE MOVIMIENTO AUMENTA LA FUERZA, PERO SE REDUCE LA VELOCIDAD!!

BOOM
CRAS

ZASHAM
TOMP TOMP
ZAP
ZAP
¡AHORA!

FLAP
FLAP
FLAP
FUOOSH

SWOOOH
SWOOOH
CLONC
CLONC
BLOF
BLOF

OH...
CREO QUE AL FINAL NO HA PODIDO EVITAR DEJARSE LLEVAR...

HAS AGUANTADO TODOS ESOS IMPACTOS POR MÍ...
MUCHAS GRACIAS, EMPOLEON.

¡¡AAACHÍS!!

UH... QUÉ FRÍO...

MENUDA CABEZA LA MÍA... VENIR A LA NIEVE CON TAN POCA ROPA...
NO... PUEDO... MOVER EL CUERPO...

FIUUUUU

ZUS

ZUS

ZAS

ZUS

¡¿...?!
ZUS
ME... ¿ME ESTÁN LLEVANDO...?

¡AH! ¡¿TE HAS DESPERTADO?!
¡SÍ, TE ESTAMOS LLEVANDO!
¿PUEDES HABLAR? ¿ESTÁS DE VIAJE? ¿DÓNDE TE ALOJAS?
EN EL REFUGIO NEVADA.

VAS BASTANTE... LIGERA DE ROPA... UUUH...
MIRA QUIÉN HABLA... JA, JA, JA...
AL VERTE EN LA NIEVE ME HE DICHO: ¡UN ALMA GEMELA!
¡¡SI TIENES SUFICIENTE VALOR NO IMPORTA QUE HAGA FRÍO, AÚN PUEDES VESTIR MONA!!
¡¡DA IGUAL DE QUÉ SE TRATE!! ¡¡POKÉMON, MODA, AMOR...!!
¡¡LA CLAVE DE TODO ES ECHARLE GANAS!!
GUTS
ZZZ... ZZZ...
EH... ¿EH?

AH, ¿YA SE HA DESPERTADO?

ESTABA CONGELADA CUANDO HA LLEGADO... NOS TENÍA MUY PREOCUPADOS.
MENOS MAL, MENOS MAL...

¿EH?
LA ROPA PARA LA NIEVE QUE HABÍA PEDIDO.

ESTABA A PUNTO DE LLEGAR CUANDO SE HA IDO A ESQUIAR.
ENTIENDO SUS ANSIAS POR ESTRENARSE, PERO SI LA HUBIERA LLEVADO ENCIMA NO LE HABRÍA PASADO ESTO...

SI SE PONE ENFERMA NO PODRÁ CONTINUAR SU VIAJE.
EH, NO IRÁ POR UN CASUAL AL LAGO AGUDEZA...
AH, PUES...

¿Y LA CHICA QUE ME HA RESCATADO?

AH, ¿PERO NO HA VUELTO USTED SOLA?
¡HE SALIDO A COMPRAR Y AL VOLVER ME LA HE ENCONTRADO EN EL SUELO DEL RECIBIDOR!
¡NO! ¡ME HAN RESCATADO!
¡UNA CHICA QUE LLEVABA POCA ROPA, CON UNAS TRENZAS...!

¡EMPOLEON! ¡¿LA RECUERDAS?!
¡POM!

¡AH!
¡¡PERO SI ES ELLA...!!

¡¿EH?!
¡¡VEN, ASPIRANTE!!
¡Espero entrenadores fuertes!
¡CONSÍGUELA! ¡LA PRUEBA DE TU VICTORIA, LA MEDALLA DEL GIMNASIO!
TEMPLO PUNTANEVA
GIMNASIO PUNTANEVA
HACIA EL LAGO AGUDEZA
LÍDER DE GIMNASIO DE CIUDAD PUNTANEVA
TAMBIÉN CONOCIDA COMO
"LA CHICA DIAMANTE".
"¡¡VEN, ASPIRANTE!!"
"¡CONSÍGUELA! ¡LA PRUEBA DE TU VICTORIA, LA MEDALLA DEL GIMNASIO!"
"¡EL GIMNASIO ESTÁ REPLETO DE TRAMPAS DE LO MÁS INTERESANTES! ¡AVANZA HACIA EL INTERIOR MIENTRAS DESTRUYES LAS BOLAS DE NIEVE!"
ES UN PÓSTER ANUNCIO DEL GIMNASIO.

ES LA LÍDER DE GIMNASIO DE CIUDAD PUNTANEVA.
LA LLAMAN "LA CHICA DIAMANTE".
¡SU NOMBRE
ES INVERNA!

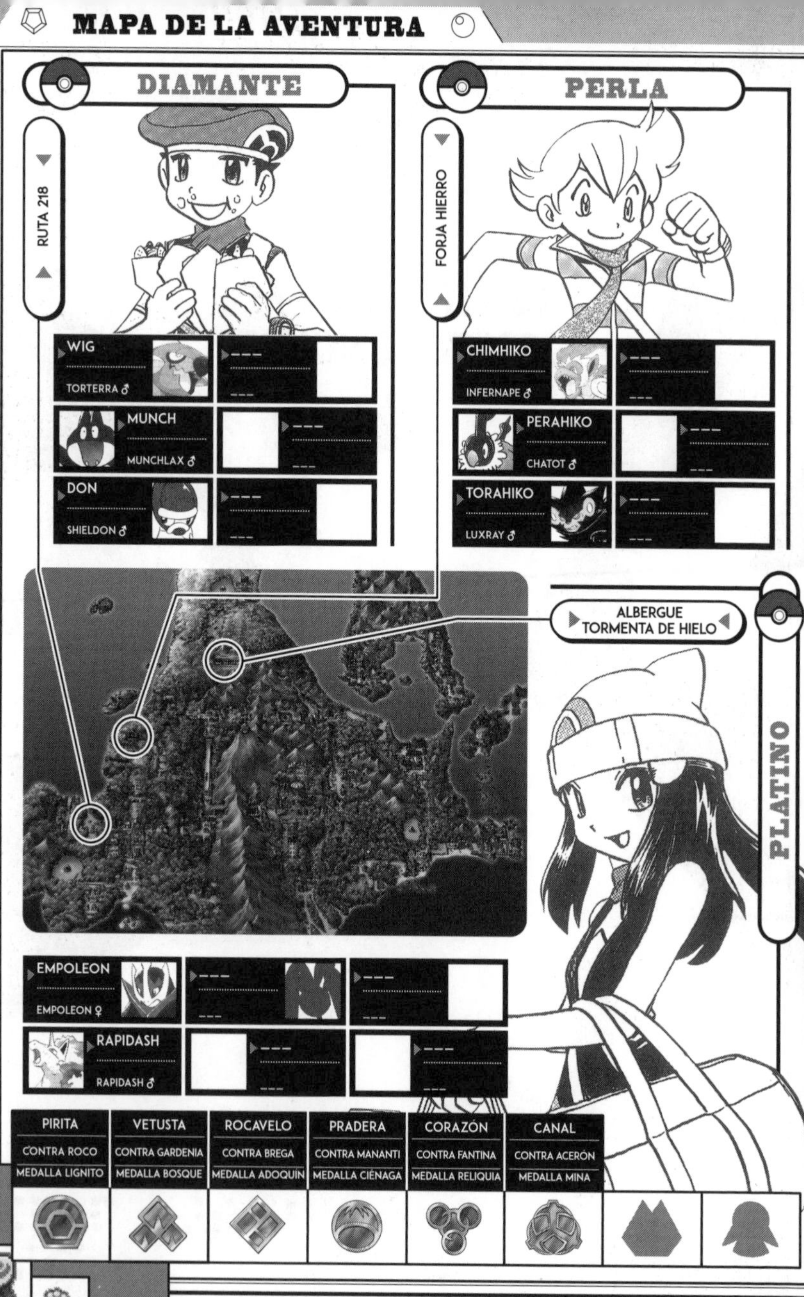

DIAMANTE
RUTA 218
WIG
TORTERRA ♂
MUNCH
MUNCHLAX ♂
DON
SHIELDON ♂
PERLA
FORJA HIERRO
CHIMHIKO
INFERNAPE ♂
PERAHIKO
CHATOT ♂
TORAHIKO
LUXRAY ♂
ALBERGUE TORMENTA DE HIELO
PLATINO
EMPOLEON
EMPOLEON ♀
RAPIDASH
RAPIDASH ♂
PIRITA
CONTRA ROCO
MEDALLA LIGNITO
VETUSTA
CONTRA GARDENIA
MEDALLA BOSQUE
ROCAVELO
CONTRA BREGA
MEDALLA ADOQUÍN
PRADERA
CONTRA MANANTI
MEDALLA CIÉNAGA
CORAZÓN
CONTRA FANTINA
MEDALLA RELIQUIA
CANAL
CONTRA ACERÓN
MEDALLA MINA

CAPÍTULO 297: CONTRA SNOVER

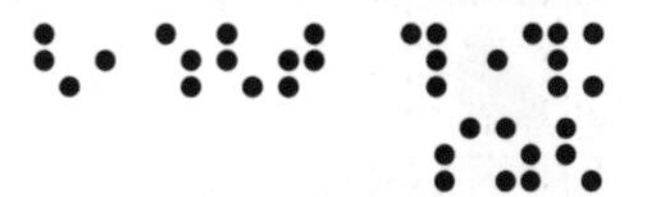

¡¡VEN, ASPIRANTE!!
¡Espero entrenadores fuertes!
ES LA LÍDER DE GIMNASIO DE CIUDAD PUNTANEVA. LA LLAMAN "LA CHICA DIAMANTE".
¡INVERNA!
¡¡ES ELLA LA QUE ME HA SALVADO...!!

NO ESTABA DEL TODO DESPIERTA, PERO RECUERDO HABER HABLADO CON ELLA...
¡ERA UNA LÍDER DE GIMNASIO!

...

MI MISIÓN ES LLEGAR AL LAGO AGUDEZA
ANTES DE QUE EL EQUIPO GALAXIA CAPTURE AL POKÉMON LEGENDARIO.
ESO ES LO MÁS IMPORTANTE: ¡TENGO QUE DETENER SUS MALVADOS PLANES!

PERO TAMBIÉN ME GUSTARÍA IR A DARLE LAS GRACIAS POR HABERME SALVADO.
PUEDO PARAR EN PUNTANEVA DE CAMINO AL LAGO, ¿NO?
PIP PIP

!!
¡ESTÁN CASI EN LA MISMA ÁREA!
RAS
RAS
¡ENTON-CES NO HAY PRO-BLEMA!
ÑUC
SI NO ME HE EQUIVOCADO CALCULANDO LA RUTA...

CREO QUE LA HE VISTO EN ALGUNA PARTE...
¡¡CLARO!!
E... ¡¡ESPERA!!
BUF
ARF
ZAP
ZAP
ZAP
SOY YO.
TE DESAFIÉ EN EL GIMNASIO DE ROCAVELO...
UF
BUF
¡¡AAAH!!
¡¡CLARO, YA ME ACUERDO!!

¡SÍ, ESO ES! SOY PLATINO BERLITZ.
¡SIENTO QUE EN AQUELLA OCASIÓN TE MOLESTARA MI PAPÁ, DIGO MI PADRE, CON TODO ESO DE LAS TRAGAPERRAS!
¡NO, QUÉ VA, AL CONTRARIO! ¡ME DIO CONSEJOS VALIOSOS!

¡BUENO, TENGO ALGO DE PRISA! ¡NOS VE-MOS!
¿ADÓNDE VAS CON TANTA PRISA...?
¡A CIUDAD PUNTA-NEVA!
HE QUEDADO CON OTRA LÍDER DE GIMNASIO, INVERNA...
¡¡VAMOS A ENTRENAR LAS DOS JUNTAS!!
¡¡¿CIUDAD PUNTA-NEVA?!! ¡¡¿INVER-NA?!!
¡UAH!
¡UAH!
¡SI ES ASÍ LLÉVAME CONTIGO!
¡¡VOY HACIA EL LAGO AGUDE-ZA Y CIUDAD PUNTANEVA, Y TAMBIÉN QUERÍA VER A INVERNA!!
TROMP
TROMP
TROMP

FIUUU

BUF

TENGO HAMBREEE...

¿EH?
NO, NADA, NO HE DICHO NADA...

BUF
AH
¡INCREÍBLE!
¡SE ME HA PEGADO DE VERDAD!

¡Y SE HA QUITADO EL ABRIGO QUE LLEVABA!

¿SEGURO QUE VAS BIEN ASÍ?
¡SÍ, TRANQUILA!

ADEMÁS, CORRIENDO ME HA ENTRADO CALOR.
ARF
INVERNA TAMBIÉN IBA LIGERA DE ROPA.
Y TÚ, BREGA, TAMBIÉN LLEVAS POCA ROPA. HASTA VAS DESCALZA, ¿NO?
AGH

ES ASÍ COMO SE VISTEN LAS HEROÍNAS, ¿NO?
UOOOH!...

BUENO, ES INVERNA LA QUE VISTE ASÍ POR MODA...
YO, EN CAMBIO... UUUH...

¿CONOCES BIEN A INVERNA?
¿SOIS AMIGAS?
¡SÍ!
¡BUENAS AMIGAS!

¡EL ENTRENAMIENTO DE HOY ES POR INVERNA!
ELLA ES ESPECIALISTA EN TIPO HIELO, ASÍ QUE SU FUERTE NO SON LOS MOVIMIENTOS DE TIPO LUCHA Y DE TIPO ACERO.
LUCHA
LUCHA PSÍQUICO
¡VOY A AYUDARLE A MEJORAR SUS PUNTOS DÉBILES!

¡ASÍ QUE LOS LÍDERES DE GIMNASIO NECESITAN MEJORAR ASPECTOS DE SU ENTRENAMIENTO!

¡TODOS OS ESFORZÁIS MUCHO! ¿NO?
¡SÍ, INVERNA ES UNA GRAN LÍDER!
¡AUNQUE NO SOLO ES UNA BUENA LÍDER DE GIMNASIO, TAMBIÉN TIENE UNA AUTORIDAD ESPECIAL!
¡¡AH!!
ZAF

FRAS
FRAS
¿QUÉ OCURRE?

¡HEMOS LLEGADO!
¡AQUÍ ACABA LA RUTA 217!
¡AHÍ LO TIENES...!

¡LA POBLACIÓN MÁS AL NORTE DE SINNOH, CIUDAD PUNTANEVA!

MÁS AL NORTE...

ESE ES EL ROMPEHIELOS QUE ATRAVIESA EL MAR Y LLEVA GENTE A LA ZONA DE COMBATE.

Y ESE ES EL TEMPLO PUNTANEVA.

¡¡ACHÍS!!

Y SI VAS HACIA ALLÍ
ENCONTRARÁS EL LAGO AGUDEZA.
!!

FRAS
¡EL LAGO AGUDEZA!

CHUC

QUIERES IR AL LAGO, ¿VERDAD...?
S... ¡SÍ! LO CIERTO ES QUE ES ALLÍ DONDE IBA EN UN COMIENZO...

ENTONCES...
...SERÁ MEJOR QUE PRIMERO VAYAS A VER A INVERNA.

¿EH? ¿Y ESO POR QUÉ?
POR LO QUE TE HE DICHO ANTES, TIENE UNA AUTORIDAD ESPECIAL.
COMO LÍDER DE GIMNASIO, INVERNA VIGILA Y SUPERVISA LO QUE OCURRE EN LA REGIÓN.

POR EJEMPLO, PARA ENTRAR EN EL TEMPLO PUNTANEVA HACE FALTA SU PERMISO.
NO LO NECESITAS PARA VISITAR EL LAGO, PERO SERÍA MEJOR QUE ANTES LE COMUNICARAS TU INTENCIÓN.

YA VEO...

HABÍA PENSADO PASARME UN MOMENTO A DARLE LAS GRACIAS POR HABERME LLEVADO HASTA EL REFUGIO, ASÍ QUE SÍ, IRÉ AL GIMNASIO.
BUENO, BREGA, MUCHAS GRACIAS POR HABERME PERMITIDO IR CONTIGO...
¡AH, DE NADA!
ERAS ERAS ERAS

AHORA QUE LO PIENSO...
¿QUÉ HABRÁ PASADO CON LOS DOS CHICOS QUE IBAN CON ELLA?

GIMNASIO DE PUNTANEVA.
¡HOLA! ¡¿DISCULPE?!
¿ESTÁ LA LÍDER INVERNA?

BIENVENIDOS, JÓVENES PROMESAS.
¡OH, ERES TÚ...!
¡¡LA JOVEN PLATINO BERLITZ!!
ZUUUM
ZUM
¡¡AH, GANASTE TAMBIÉN EN CANAL, ASÍ QUE ESTE ES TU SÉPTIMO GIMNASIO!!
¡¿CÁCING?!
¡¡MUY BIEN, YA TE HE REGISTRADO!!
NO, SI YO SOLO VENÍA A VISITAR A INVERNA...
¡SI VIENES A DESAFIAR A LA LÍDER NO PERDAMOS MÁS TIEMPO! ¡VAMOS, ADELANTE!
TOMB
ZIUUU
¡KAAAH!

PARECE QUE PARA VERLA NO TENGO MÁS REMEDIO QUE COMBATIRLA...
¿QUÉ MODALIDAD DE COMBATE?

EMPOLEON, RAPIDASH...
Y EL NUEVO MIEMBRO DE MI EQUIPO...
PARTICIPARÉIS LOS TRES.

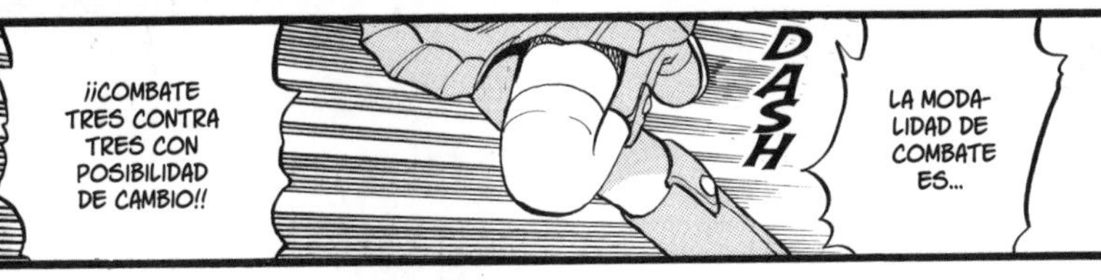
LA MODALIDAD DE COMBATE ES...
DASH
¡¡COMBATE TRES CONTRA TRES CON POSIBILIDAD DE CAMBIO!!

¡OH, OH, OH!
¡INVERNA, HA LLEGADO UNA ASPIRANTE!
¡UAH!
CRASH
¡¡ESTÁ FULMINANDO LAS TRAMPAS Y A LOS ENTRENADORES...
BOM
CRAAC
...CON UNA FUERZA IMPRESIONANTE!!
¡UAH!

¡LLEGUÉ!
AGH
BUF
ARF
¡¡LA PARTE MÁS PROFUNDA DEL GIMNASIO!!

CUÁNTOS POKÉ-MON...
¿SERÁN TODOS DEL EQUIPO DE INVER-NA?
CLAC
CLAC

NO, YO NO DIRÍA ESO...
SON POKÉMON SALVAJES A LOS QUE LES GUSTA VENIR POR AQUÍ.

¡¿EH?!
¡¿ASÍ QUE ERAS TÚ QUIEN QUERÍA COMBATIR CONMIGO?!
¡¿YA TE HAS RECUPE-RADO?!

SÍ, GRACIAS A QUE ME HAS RES-CATADO Y ME HAS LLEVADO HASTA EL REFUGIO.
SI NO HUBIERAS PASADO POR ALLÍ NO SÉ QUÉ HABRÍA HECHO.

QUERÍA AGRADE-CÉRTE-LO.
¡¡VALE, VALE!!

¡PERO LA AMABILIDAD ACABA AQUÍ!
¡NO TE VOY A PONER LAS COSAS FÁCILES! ¿SABES?
GRRR

UNA VEZ QUE ME ENCIEN-DO...
...NO HAY VUELTA ATRÁS.

GLUP
ENTENDIDO.

SHA
TAP
¡¡LA ASPIRANTE ES PLATINO BERLITZ!!

¡¡EL COMBATE ES DE TRES CONTRA TRES CON POSI-BILIDAD DE CAMBIO...
...POR LA MEDALLA CARÁM-BANO!!
¡PRE-PARA-DAS...!

POM
¡¡EL COMBATE COMIENZA YA!!
ZAS
ERAS
¡POM!
INVERNA ES ESPECIALISTA EN TIPO HIELO...
¡¡SI LO QUE HA DICHO BREGA ES CIERTO...
...AL TENER POKÉMON DE TIPO ACERO Y TIPO FUEGO LLEVO VENTAJA!!
ZUASH
¡¡GARRA METAL!!

BA
UM
¡¡UAH!!

¡ERES MÁS FUERTE DE LO QUE PENSABA!
TE HAS GANADO UN POCO DE RESPETO.
PERO YA DEBERÍAS SABER QUE INVERNA ESPERA...
CHAC
...ENTRENADORES FUERTES.
TENÍA ESTE POKÉMON PREPARADO...
...PARA UNA OCASIÓN COMO ESTA.

¿EH? PE... ¿PERO...?
TOING
¡SI LA ESTÁ DESAFIANDO!

MAPA DE LA AVENTURA

DIAMANTE

RUTA 218

WIG — TORTERRA ♂	---
MUNCH — MUNCHLAX ♂	---
DON — SHIELDON ♂	---

PERLA

FORJA HIERRO

CHIMHIKO — INFERNAPE ♂	---
PERAHIKO — CHATOT ♂	---
TORAHIKO — LUXRAY ♂	---

CIUDAD PUNTANEVA

PLATINO

EMPOLEON — EMPOLEON ♀	---	---
RAPIDASH — RAPIDASH ♂	---	---

PIRITA	VETUSTA	ROCAVELO	PRADERA	CORAZÓN	CANAL		
CONTRA ROCO	CONTRA GARDENIA	CONTRA BREGA	CONTRA MANANTI	CONTRA FANTINA	CONTRA ACERÓN		
MEDALLA LIGNITO	MEDALLA BOSQUE	MEDALLA ADOQUÍN	MEDALLA CIÉNAGA	MEDALLA RELIQUIA	MEDALLA MINA		

CAPÍTULO 298: CONTRA FROSLASS

¡EL PRIMERO HA CAÍDO!
EL MOVIMIENTO DE TIPO ACERO DE EMPOLEON TENÍA VENTAJA SOBRE TU TIPO HIELO.

¿AH, SÍ?
¡ME IMAGINO QUE YA ESTÁS DESCARTANDO
LA POSIBILIDAD DE PERDER!
?!
QU... ¡¿QUÉ?!
HYUUU
BOOM
¡POR EJEMPLO ASÍ!

¡¡EMPOLEON!!
PTOM
BOMBA GERMEN.
LE HA CAÍDO ENCIMA UNA SEMILLA CON CÁSCARA DURA.
¡LA HA LANZADO MI POKÉMON JUSTO ANTES DE RECIBIR EL IMPACTO DE TU GARRA METAL!
SNOVER TAMBIÉN ES DE TIPO PLANTA. ¡Y SU MOVIMIENTO DE TIPO PLANTA HA RESULTADO EN UN DOBLE K.O.!
¡SE HAN DEJADO FUERA DE JUEGO EL UNO AL OTRO!
¡Y A LAS DOS LES QUEDAN
DOS POKÉMON!
¡¡AQUÍ VA EL QUE TENÍA RESERVADO!!
POM
ZAM
¡¡FROSLASS!!

POM
RA... ¡¡RAPI-DASH!!

DASH
DASH
DASH
DASH

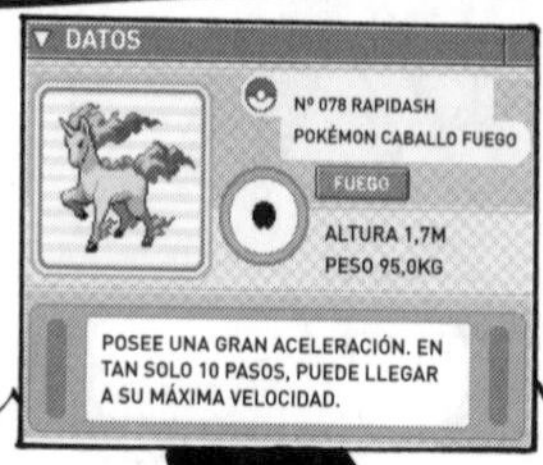
DATOS
Nº 078 RAPIDASH
POKÉMON CABALLO FUEGO
FUEGO
ALTURA 1,7M
PESO 95,0KG
POSEE UNA GRAN ACELERACIÓN. EN TAN SOLO 10 PASOS, PUEDE LLEGAR A SU MÁXIMA VELOCIDAD.
¡¡DESDE QUE HA EVOLUCIONADO A RAPIDASH...
...HA GANADO TODA ESA ACELERACIÓN Y VELOCIDAD!!

¡¡ESOS ATAQUES NO VAN A ALCANZARLO TAN FÁCILMENTE!!

¡¡QUIERO ACABAR YA EL COMBATE PARA LLEGAR LO MÁS PRONTO POSIBLE AL LAGO AGUDEZA!!

WOOSH

HAS ACERTADO, PERO LOS MOVIMIENTOS DE TIPO HIELO O TIPO ACERO NO SON MUY EFECTIVOS CONTRA EL TIPO FUEGO DE RAPIDASH.

AUNQUE RAPIDASH ES MI ÚLTIMO RAYO DE ESPERANZA, SERÁ MEJOR SER PRUDENTE...
¡DUERME Y RECUPÉRATE!
POF

...

QUÉ EXTRAÑO...

NO TE ENTIENDO.
PARECE COMO SI QUISIERAS TERMINAR EL COMBATE LO MÁS RÁPIDO POSIBLE.
ESA ES LA IMPRESIÓN QUE ME DAS...

¡¡PIENSO GANAR ESTE COMBATEEE!!
TOMP
TOMP
¿EH?
¿EH?
¡¿QUÉ PASA, ES QUE NO TIENES GANAS DE COMBATIR?!
¡¡¿TE ESTOY ABURRIENDO?!!
PLAS

¿UH?

LAGO AGUDEZA

HMMM...
UHMMM...
OH... YA VEO...

EN RESUMEN...
TÚ QUERÍAS IR AL LAGO AGUDEZA. TE DIRIGÍAS AL NORTE CUANDO HAS TENIDO EL PERCANCE EN LA NIEVE.
YO PASABA POR ALLÍ Y TE HE RESCATADO.
Y HAS PENSADO:
"VOY A IR A PUNTANEVA A AGRADECÉRSELO".
"¡OH, QUÉ BIEN, PERO SI ESTÁ CERCA DEL LAGO AGUDEZA!".
"¡OH, ADEMÁS NECESITO QUE LA LÍDER DE GIMNASIO ME DÉ PERMISO PARA VISITAR EL LAGO!".
VAMOS...

...QUE
DECIDES
QUE NO
TE QUEDA MÁS
REMEDIO,
"QUÉ LE
VAMOS A
HACER,
TENDRÉ
QUE IR AL
GIMNASIO".
"Y DESAFIAR A LA
LÍDER"...
¿Y NO SERÍA
MEJOR ABANDONAR EL
COMBATE?
AH, NO...
ESO...
¡FROSLASS!
PLAAAAF
¡ESPABILA!
BLOF
¡CUANDO
EL ATAQUE
DESPIERTA A
LA FUERZA AL
OPONENTE
LE INFLIGE
UN GRAN
DAÑO!
PTOM
SHUUU
UGH
BUENO,
BUENO...

PRESIDENTE DE LA ASOCIACIÓN POKÉMON, ¿SUSPENDEMOS ESTE COMBATE? YO YA HE DEVUELTO MI POKÉMON A LA POKÉ BALL. ASÍ QUE...
¡HMMM...!

YA VEO QUE VA A VOLVER CON LA CANTINELA ESA DE QUE SOY UNA EGOCÉNTRICA... ¡SI VA A ECHARME OTRO DE ESOS RAPAPOLVOS
PREFIERO ACABAR LO QUE HE EMPEZADO...!
¡BIEN, CAMBIO!

...

RAPIDASH ESTÁ DEBILITADO Y EMPOLEON ESTÁ FUERA DE COMBATE.

AHORA QUE LO PIENSO... HASTA AHORA SIEMPRE HABÍA CONTADO CON EL APOYO DE PERLA Y DIAMANTE...
JUNTOS ME AYUDABAN A ENTRENAR Y PENSAR LA ESTRATEGIA...

¿PODRÉ GANAR EL COMBATE CON EL POKÉMON QUE HE CAPTURADO POR CASUALIDAD EN EL CAMINO? PERO NUNCA HE COMBATIDO CON ÉL...
BUM
¡¡¡UOOOOOOH!!!
¡KYAAAH!
¿¡¿¡¿!

¡POM!
¡¿SIGUES INDECISA?! ¡¡¿DESPUÉS DE TODO LO QUE HE DICHO?!!
¡QUIERO QUE COMPRENDAS UNA COSA!
SI PIENSAS QUE YA SALDRÁS DEL PASO COMO SEA...
¡¡ESO NO TE SERVIRÁ!!
¡¡¡Y MENOS AÚN...
...PARA ENFRENTARTE AL EQUIPO GALAXIA!!!
¡¡¿ENTIENDES?!!
!!!

ZAM ZAM ZAM
ABOMASNOW, ¡¡CANTO HELADO!!
CRAS CRAS CRAS

SSSSH

¡¿CÓMO SABE...
...LO DEL EQUIPO GALAXIA?!

SI QUIERES SABERLO...
¡¡MUÉSTRAME CORAJE!!

CRAC
¡¡¡LOPUNNY!!!
¡BAM!
ZAS
ZAS
¡¡OH!!
¡¡ABOMA-SNOW, ONDA CERTE-RA!!
SHUUUN
ZAS
ZAS
TOMP
TOMP
TOMP

¡¡ESE JUEGO DE PIES NO SOLO ES UNA ESTRATEGIA DE EVASIÓN!!
¡¡TEN CUIDADO, ABOMA-SNOW...!!
¡PATADA SALTO!
PAM
¡¡ABOMA-SNOW QUEDA FUERA DE COM-BATE!!
PTOM
¡¡AHORA ESTAMOS HABLAN-DO EN SERIO!!
¡¡UNA VEZ MÁS, FROS-LASS!!
ZUM

BAM
¡POM!
BOM

¡¡EL MISMO TRUCO NO VA A COLAR DOS VECES!!
¡¡SI NO HAY MANERA DE ACERTAR PORQUE NO PARA DE BRINCAR...

...ENTONCES HABRÁ QUE RETENERLO!!
GGG
GGG

PUF...

TAP...

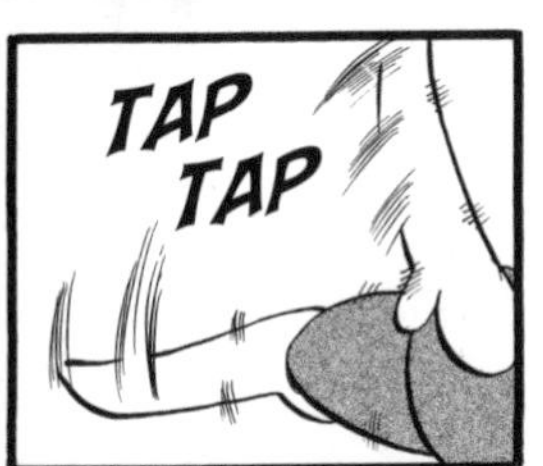
TAP TAP

EL LOPUNNY DE LA ASPIRANTE HA DEJADO DE MOVERSE.
HA QUEDADO...
¡FUERA DE COMBATE!
¡BIEN!
AL FINAL HE PASADO ALGÚN QUE OTRO APURO, PERO...
POM
!!
¡¡INVERNA!!
¡¡AÚN NO HA TERMINADO!!
FUOOSH

¡¿RAPI-
DASH?!

¡¿CÓ-
MO?!
¡PERO SI
YA NO LE
QUEDABA
ENERGÍA!
TOMP
PUFFF

DESEO
CURA...

FROSLASS HA
HECHO QUE MI
NUEVO POKÉMON,
LOPUNNY, PIER-
DA TODA SU
ENERGÍA PARA
COMBATIR,
PERO
MIENTRAS
OCURRÍA HE
UTILIZADO UN
MOVIMIEN-
TO: DESEO
CURA.

ESE
MOVIMIENTO
DEJA DESFA-
LLECIDO AL
POKÉMON,
PERO RES-
TAURA TODA LA
ENERGÍA DEL
SIGUIENTE.
SÍ.

¡¡ASÍ
QUE ES
ESO!!
¡¡ES-
TU-
PEN-
DO!!

HASTA AHORA HABÍA UN AMIGO QUE SE OCUPABA DE GRITARME, PERO
AHORA ESTOY SOLA...
¡¡NI SE TE OCURRA PERDER EL COMBATE!!

QUÉ VA.
SI ME HE ATREVIDO CON UNA ESTRATEGIA TAN ARRIESGADA
O A UTILIZAR UN POKÉMON NUEVO CON EL QUE NUNCA HABÍA COMBATIDO
HA SIDO GRACIAS A TUS REPRIMENDAS, INVERNA.
MUCHAS GRACIAS.

EL COMBATE HA TERMINADO.
LOS TRES POKÉMON DE INVERNA HAN QUEDADO FUERA DE COMBATE.
POR LO TANTO
LA VICTORIA ES PARA LA ASPIRANTE, ¡PLATINO BERLITZ!

JA, JA...
¡JE! VISTO EN PERSPECTIVA, HABRÍA SIDO MEJOR NO AVIVAR EL FUEGO.

¡AQUÍ TIENES!
¡LA MEDALLA CARÁMBANO!

AUNQUE CREO QUE SERÍA MEJOR QUE TUVIERAS ALGÚN POKÉMON MÁS EN TU EQUIPO.

¡AQUÍ SE REÚNEN MUCHOS POKÉMON SALVAJES, Y TAMBIÉN LOS HAY BIEN EXTRAÑOS! ¡DEBERÍAS CAPTURAR UNO!
¿SEGURO?
¡SÍ! ¡TAMBIÉN PUEDES CAPTURAR ALGUNO PARA TUS AMIGOS!

¡DESPUÉS DE TODO NECESITAMOS CONTAR CON LA MAYOR FUERZA POSIBLE PARA COMBATIR AL EQUIPO GALAXIA!

¡AH, SÍ! ¡LO HABÍA OLVIDADO! ¡¿CÓMO ES QUE SABES LO DEL EQUIPO GALAXIA?!
PORQUE LOS LÍDERES DE GIMNASIO TENEMOS CONEXIONES ENTRE NOSOTROS. ¡EL SEÑOR ACERÓN SE PUSO EN CONTACTO CONMIGO Y ME LO CONTÓ!

¡POR ESO INTENTO ESTAR AL TANTO DE QUIÉN VISITA EL LAGO!
¿ENTENDIDO?
SÍ.

¡BIEN, YA ES HORA! ¡VAMOS, BREGA, VEN!
¡DEBEMOS CERCAR EL LAGO ANTES DE QUE LLEGUE EL EQUIPO GALAXIA!

BIEN, ¡¿VAMOS?!
DASH
¡CLARO!

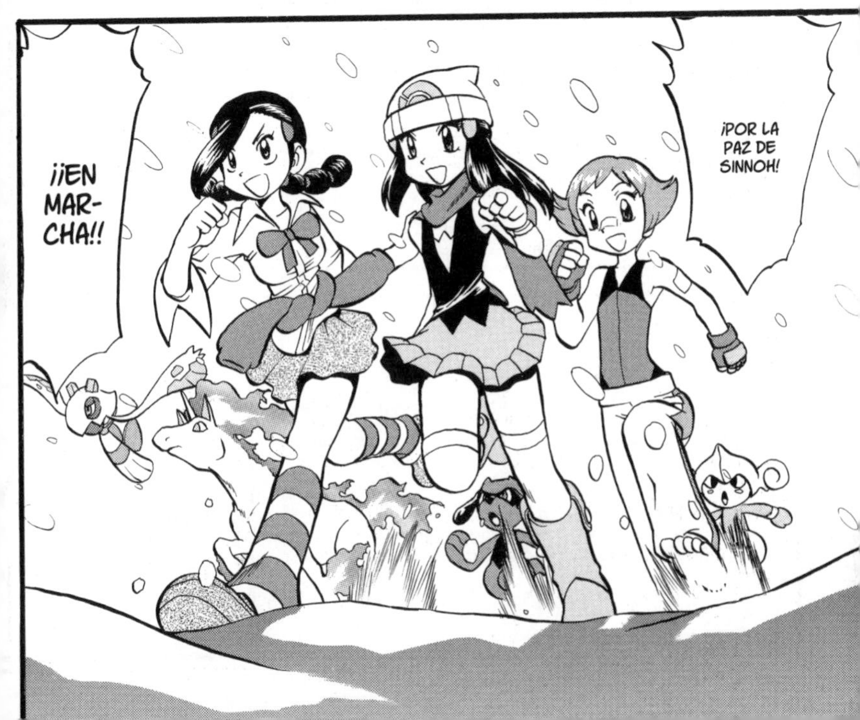
¡POR LA PAZ DE SINNOH!
¡¡EN MARCHA!!

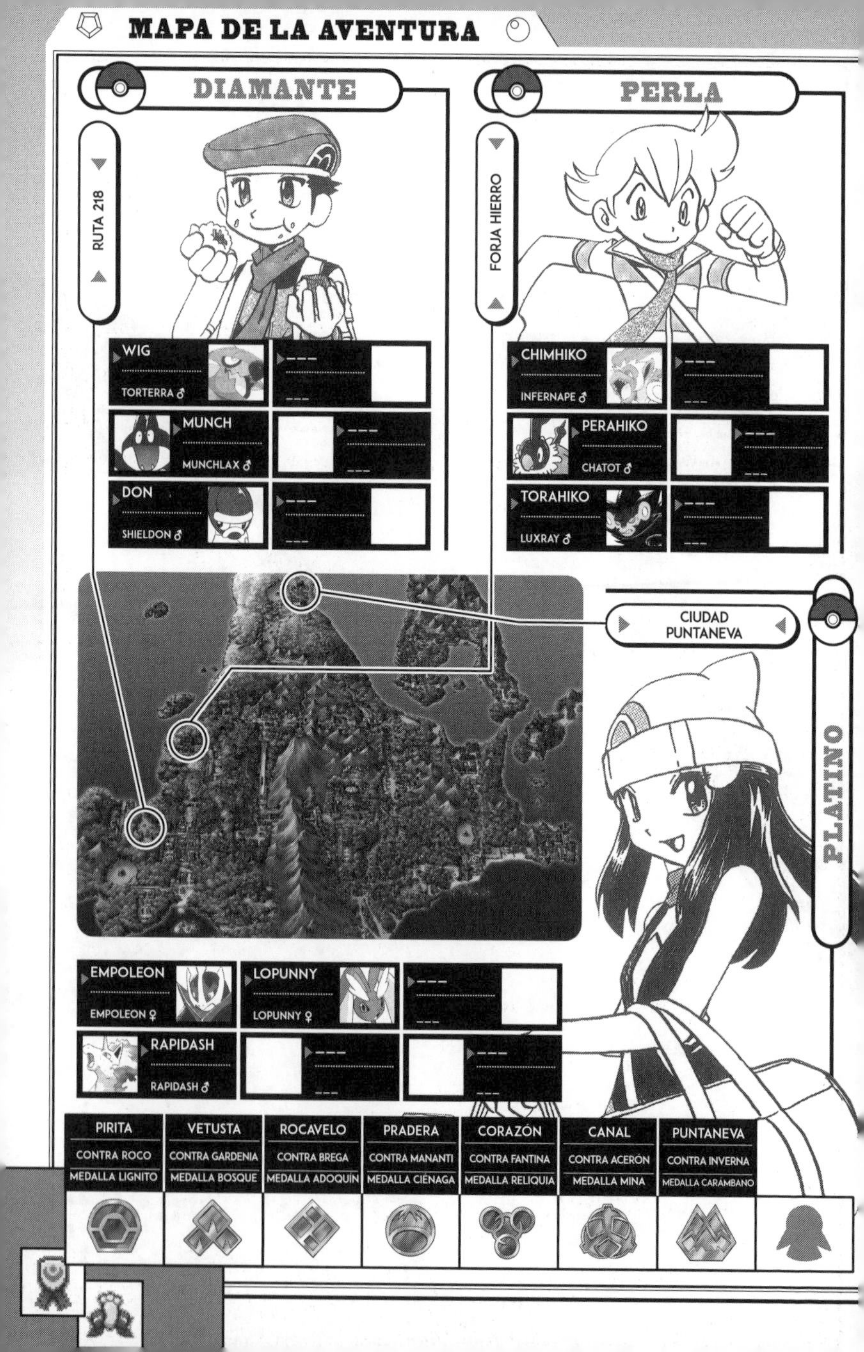
MAPA DE LA AVENTURA
DIAMANTE
RUTA 218
WIG
TORTERRA ♂
MUNCH
MUNCHLAX ♂
DON
SHIELDON ♂
PERLA
FORJA HIERRO
CHIMHIKO
INFERNAPE ♂
PERAHIKO
CHATOT ♂
TORAHIKO
LUXRAY ♂
CIUDAD PUNTANEVA
PLATINO
EMPOLEON
EMPOLEON ♀
LOPUNNY
LOPUNNY ♀
RAPIDASH
RAPIDASH ♂
PIRITA
CONTRA ROCO
MEDALLA LIGNITO
VETUSTA
CONTRA GARDENIA
MEDALLA BOSQUE
ROCAVELO
CONTRA BREGA
MEDALLA ADOQUÍN
PRADERA
CONTRA MANANTI
MEDALLA CIÉNAGA
CORAZÓN
CONTRA FANTINA
MEDALLA RELIQUIA
CANAL
CONTRA ACERÓN
MEDALLA MINA
PUNTANEVA
CONTRA INVERNA
MEDALLA CARÁMBANO

CAPÍTULO 299: CONTRA CLEFAIRY

FIUUUUUU

¡UH... UH! ¡¡QUÉ FRÍO!!
TIENE PINTA DE PONERSE A NEVAR.
ASÍ QUE YA HEMOS CAMBIADO DE ESTACIÓN, ¿EH?
CLAC CLAC

CHIMHIKO ESTÁ BIEN,
¿QUÉ TAL VOSOTROS, PERAHIKO Y TORAHIKO?

HABRÁ QUE...
...TOMAR MEDIDAS CONTRA EL FRÍO.

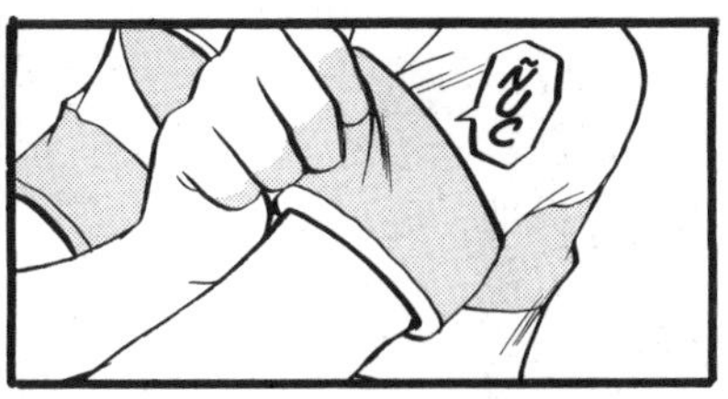
ÑUC

FLAP

FLAP
FLAP...

¡JA, JA, JA! ¡CON SOLO PONERME MANGA LARGA YA SIENTO CALOR-CILLO!
¡SÍ!
¡BIEN!
¡CALOOOR!

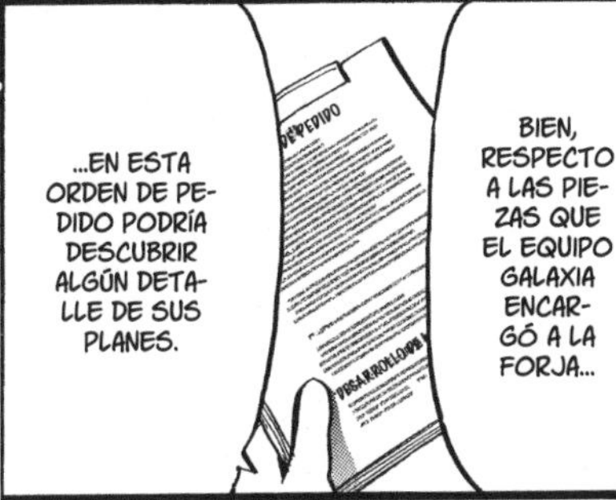
BIEN, RESPECTO A LAS PIE-ZAS QUE EL EQUIPO GALAXIA ENCAR-GÓ A LA FORJA...
...EN ESTA ORDEN DE PE-DIDO PODRÍA DESCUBRIR ALGÚN DETA-LLE DE SUS PLANES.

HMMM...

UH...

¡¡AH!!

¡NO PUEDE SER! ¡CON EL CALOR ME QUEDO DORMIDO!
¡PUES OTRA VEZ EN MANGA CORTA!
¡CHI-CO!
NO HACE FALTA QUE TE QUEDES FUERA, ¡ENTRA!
NO SE PREO-CUPE, SEÑOR FUEGO.
LAS MÁQUINAS HAN ESTADO OPERANDO AL MÁXIMO VARIOS DÍAS Y POR ESO NO HAY MANERA DE APAGARLAS.
PERO SE-GURO QUE DENTRO SE ESTÁ MEJOR QUE AQUÍ FUERA, ¿NO?

EN TODO CASO NO DUDES EN PEDIRME CUALQUIER COSA QUE NECESITES.
MUCHAS GRACIAS.

VAMOS A REPASAR TODO ESTE ASUNTO DESDE EL COMIENZO.

LA G DEL EQUIPO GALAXIA.

LA PRIMERA VEZ QUE VI SU INSIGNIA FUE EN ROCAVELO.
ENTONCES NOS VIMOS ENVUELTOS EN AQUEL FRENÉTICO COMBATE. TODAVÍA NO SABÍAMOS CÓMO SE LLAMABAN.

LO ÚNICO QUE SABÍAMOS
ERA QUE IBAN A POR LA SEÑORITA.
Y DIA Y YO JURAMOS PROTEGERLA.
PERSONALES...!!
AH, MUY BIEN.
¿ES QUE NO ES ESO LO QUE ESTABAN—

Y DESPUÉS
DE AQUELLO, PUEBLO CAELESTIS...

NOS ENCONTRAMOS SOLO AL HOMBRE QUE LLEVABA LA INSIGNIA DE LA ORGANIZACIÓN.
ES TAN PODEROSO QUE NADIE PODÍA ACERCÁRSELE... ¡SOLO CON ESTAR ALLÍ LA ATMÓSFERA CAMBIABA POR COMPLETO! ¡TENÍA UNA PRESENCIA ABRUMADORA!

DIA LE PREGUNTÓ SI ERA EL JEFE DE LA ORGANIZACIÓN Y NO CONTESTÓ.
PERO...

DE LO QUE NO HAY DUDA ES DE QUE PERTENECE A LA ÉLITE DE LA ORGANIZACIÓN.
ENERGÍA ESPACIAL

NO SOLO ES TEMIBLE POR SU FUERZA EN EL COMBATE POKÉMON, ESA SEGURIDAD EN SÍ MISMO TAMBIÉN PONE LOS PELOS DE PUNTA...

MI NOMBRE ES HELIO.
ESTOY BUSCANDO EL PODER PARA CREAR UN MUNDO IDEAL DONDE QUEDEN DESTERRADOS LOS CONFLICTOS TRIVIALES COMO ESTE.

¡HELIO...!
DIA Y LA SEÑORITA YA HABÍAN ESCUCHADO SU NOMBRE.
ESO ES LO QUE DIJERON, ¿NO?
¡LO DIJERON, LO DIJERON!

CUANDO LA TORMENTA DE ARENA NOS ARRASTRÓ HASTA EL LAGO VALOR...
LA AUTORIZACIÓN NOS LA HA DADO EL SEÑOR HELIO, EL PRESIDENTE DE LA CORPORACIÓN PARA EL DESARROLLO DE LA ENERGÍA ESPACIAL.
BRRRMMM

¡¡ESO ES...!!

LA CORPORACIÓN PARA EL DESARROLLO DE LA ENERGÍA ESPACIAL...
ES EL NOMBRE CON EL QUE SE PRESENTAN PÚBLICAMENTE...
¡¡ES LA FACHADA QUE UTILIZAN!!

Y POR ÚLTIMO CIUDAD CANAL.
¡EL PADRE DE LA SEÑORITA FUE EXTORSIONADO Y AMENAZADO!

¡¡LA PERSONA QUE LO AMENAZABA NO SE MOLESTÓ EN OCULTAR
EL NOMBRE DE SU ORGANIZACIÓN!!
FUOSH
FUOSH

NOSOTROS, EL EQUIPO GALAXIA...
...ESTAMOS CONSTRUYENDO EL UNIVERSO.

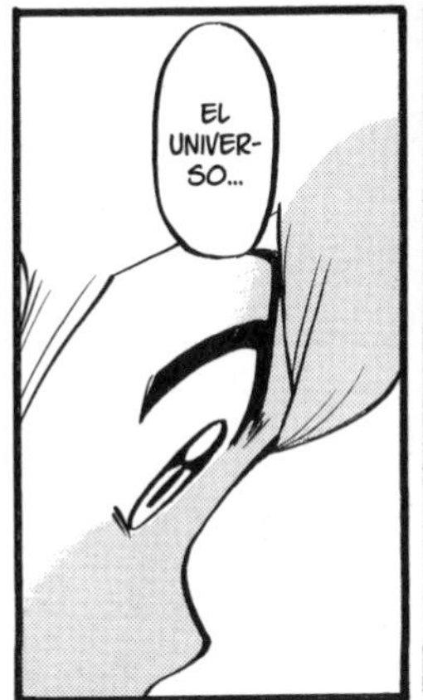
EL UNIVERSO...

CORPORACIÓN PARA

¡ESO ES!
¡¡AMPLIAD VUESTRA MIRADA Y HACED SITIO AL UNIVERSO ENTERO!!

SU FORTUNA SERVIRÁ PARA CONSTRUIR UN UNIVERSO NUEVO, SEÑOR BERLITZ. DEBERÍA SENTIRSE HONRADO...

...ESTAMOS CONSTRUYENDO EL UNIVERSO.

EL ESPACIO...
EL UNIVERSO...
EL ESPACIO...
EL UNIVERSO...
SON PALABRAS CLAVE QUE A MENUDO APARECEN CONECTADAS CON EL EQUIPO GALAXIA.
EL UNIVERSO...

CONSTRUIR EL UNIVERSO...
¿A QUÉ SE REFERIRÁN?

AHORA MISMO SE PROPONEN DETONAR UNA BOMBA Y SECAR LOS LAGOS.

SECAR LAGOS PARA CONSTRUIR EL UNIVERSO.
NO LE VEO SENTIDO.
ESA ES LA PRIMERA CUESTIÓN.

¡PASEMOS A LA SIGUIENTE!
¡ME HE DADO CUENTA CUANDO HE VISTO ESTA ORDEN DE PEDIDO!
¡¡SEÑOR FUEGOOO...!!
¡¡YA VOY!!
TROM TROM

ARGH
¡¿QUÉ OCURRE?!
AY... ¡QUÉ CERCA!
BUF
ARF

ESTOS PEDIDOS PARECEN DE PIEZAS O JUEGOS ÚNICOS.
SÍ, ASÍ ES COMO ERA EL PEDIDO.

PIEZAS ÚNICAS...
ENTONCES... ESO QUIERE DECIR...

¡¿...QUE HAN CONSTRUIDO UNA SOLA BOMBA GALÁCTICA?!

PERO... ¡NO TIENE SENTIDO!

EN SINNOH HAY TRES LAGOS.
EL LAGO VALOR...
EL LAGO VERAZ...
...Y EL LAGO AGUDEZA.
Y EN CADA UNO DE ESOS LAGOS...
...HABITA UN POKÉMON QUE GOBIERNA SOBRE EL CONOCIMIENTO, LA EMOCIÓN Y LA VOLUNTAD...

PARA CAPTURAR A LOS POKÉMON LEGENDARIOS AZELF, UXIE Y MESPRIT, EL EQUIPO GALAXIA...
...PLANEA SECAR LOS LAGOS RECURRIENDO A LA BOMBA GALÁCTICA.

EL OBJETIVO SON
TRES LAGOS.
LOS POKÉMON QUE QUIEREN CAPTURAR
SON TRES.
¿ENTONCES POR QUÉ
NO HAY TRES BOMBAS?

¡UMMM! ¡MÁS COSAS QUE NO ENTIENDO!
AUNQUE
TENGO LA SENSACIÓN DE QUE ESTAMOS A SOLO UN PASO DE RESOLVERLO.

DEBE DE HABER ALGO... ALGO QUE NO LOGRO RECORDAR SOBRE EL EQUIPO GALAXIA...
CLAN
CRAS
¡¡URAH!!

¿QUÉ OCURRE, SEÑOR FUEGO?
AH, PERDÓN, ES QUE HE RECORDADO QUE DEBO DISTRIBUIR UNOS PEDIDOS...

¿TORNILLOS Y TUERCAS?
SON PARA LA TIENDA DE BICIS DE CIUDAD VETUSTA.

CON TODO ESTE REVUELO LO HABÍA OLVIDADO POR COMPLETO...
EL DUEÑO ESTARÁ COMO LOCO...
CLANC
CLINC
CLANC
LA TIENDA DE BICIS DE VETUSTA...

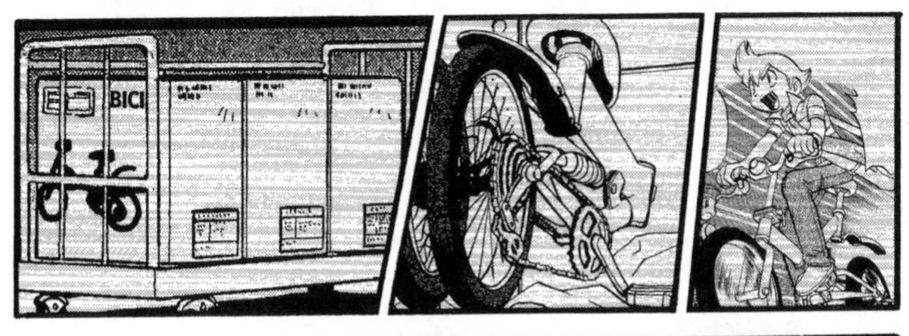
BICI

¡POR FAVOR...!
¡...OS RUEGO QUE ME DEJÉIS AGRADECÉROSLO!

¡¡ME HABÉIS LIBERADO DE MI SECUESTRO...!!
¡¡ME HABÉIS LIBERADO DE MI SECUESTRO EN EL EDIFICIO GALAXIA!!
¡¡...EN EL EDIFICIO GALAXIA!!
¡ESO ES!
¡UNA COSA MÁS!
¡LAS BICIS QUE RECIBIMOS SIN SABER MUY BIEN POR QUÉ!
¡¡EL EDIFICIO DONDE EL DUEÑO DE LA TIENDA DE BICIS ESTABA SECUESTRADO
ES DEL EQUIPO GALAXIA!!
¡¡CHIMHIKO!!
DASH

¡ZUUUM!
ZA
TOMP TOMP TOMP TOMP
EDIFICIO GALAXIA DE VETUSTA

¡¡ES ESE EDIFICIO!!
¡EL EDIFICIO DEL QUE AYER NO DEJABAN DE SALIR Y ATERRIZAR HELICÓPTEROS...!
EL DUEÑO DE LA TIENDA DE BICIS FUE SECUESTRADO POR EL EQUIPO GALAXIA, PERO...
¡¿...PARA QUÉ QUERÍAN SECUESTRARLO?!
...

¡LO MEJOR SERÁ IR A VERLE!
¡NOS REUNIREMOS CON EL DUEÑO DE LA TIENDA DE BICIS!
GRACIAS POR AYUDARME CON LAS CAJAS...
CLIN CLAN
Y AHORA A REPARTIRLAS...
CLIN
¡NO!
CHAC

¡SI LE PARECE LO HARÉ YO!
REPARTIRÉ SU MERCANCÍA.
TORAHIKO, PERAHIKO...
¡VAMOS A CIUDAD VETUSTA!
¡VAMOS A LA TIENDA DE BICIS DEL SEÑOR VOLATA!

¡¡VAMOS ALLÁ!!
¡ZAS!

CIUDAD VETUSTA.
TAP
TAP
TAP
TAP
SIGUE HACIENDO FRÍO...
...AUNQUE LAS NUBES SE HAN DESPEJADO Y HA SALIDO LA LUNA.
VAMOS A VER... ¿DÓNDE ESTÁ LA TIENDA DE BICIS?
¡LA HE ENCONTRADO!
¡¡AQUÍ ESTÁ!!
TIENDA DE BICIS
NO ME GUSTA MOLESTARLE EN MEDIO DE LA NOCHE,
PERO...
TIENDA

¡QUEDA TAN POCO TIEMPO QUE NO PUEDO PERMITIRME ESPERAR AL AMANECER!
¡SOLO QUEDAN DOS DÍAS
PARA QUE LANCEN LA BOMBA!

FUUUUUUM
ZUUU
!!
¡¡¿HAY AL-GUIEN AHÍ?!!
¡SON...!
¡¡SON POKÉMON HADA!! ¡¡CLEFAIRY!!
¡RAYOS! ¡¡VAN A ATACAR-NOS!!
¡¡TORA-HIKO, CHIS-PAZO!!
FRZZZZZ
¡¡PERA-HIKO, CHÁ-CHARA!!
BLABLABLABLA

BLABLA

¡HEMOS ACERTADO...! ¡PERO NO EN LOS PUNTOS VITALES!

¡¡CUANDO LOS DOS SE HAN DIRIGIDO HACIA EL CIELO...
...HAN USADO CONJURO!!

¡CALMA, CALMA! ¡VAMOS A CONSULTAR LA POKÉDEX PARA ENTENDER EL MOVIMIENTO!

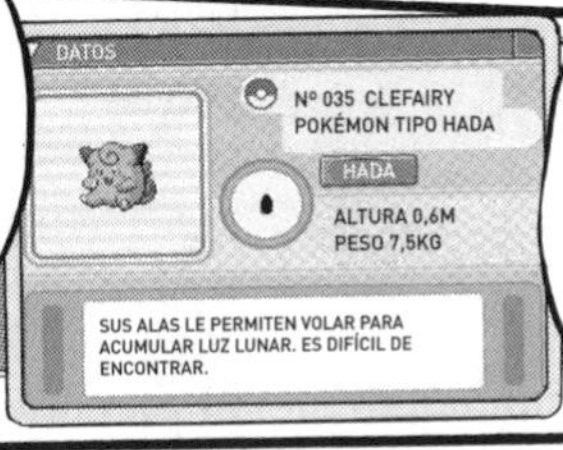

DATOS
Nº 035 CLEFAIRY
POKÉMON TIPO HADA
HADA
ALTURA 0,6M
PESO 7,5KG
SUS ALAS LE PERMITEN VOLAR PARA ACUMULAR LUZ LUNAR. ES DIFÍCIL DE ENCONTRAR.
¡¡LA LUZ DE LUNA QUE GUARDA EN LAS ALAS DE SU LOMO...
...LE DA LA HABILIDAD DE FLOTAR EN EL AIRE!!

¡ES UN ENEMIGO MÁS FUERTE DE LO QUE PODRÍA PARECER POR SU ASPECTO!
¡¡BIEN, CHIMHIKO!!

¡¡ES-
PERA
UN
MOMEN-
TO!!
CACHANC
CACHANC
¡¡EN LOS CUATRO DÍAS QUE HEMOS TARDADO EN LLE-GAR HASTA AQUÍ HEMOS COMBATIDO Y NOS HEMOS HECHO MÁS FUERTES!!
¡¡AHORA ES EL MOMENTO DE PONER EN PRÁCTICA LO APRENDIDO!! ¡¡ENVITE...!!
ZUM

QU... ¡¿QUÉ HAN HECHO MIS CLE-FAIRY?!

¡¡AQUÍ ESTÁ EL PEDIDO QUE LE HA ENCARGADO AL SEÑOR FUEGO!!

¡¡AH!! ¡¡ERES UNO DEL TRÍO QUE ME RESCATÓ!! ¡AAAH! ¡¿HAS VENIDO A VISITARME?!

¡¡SÍ!! ¡¿Y TÚ QUIÉN ERES?!

¡¡AH, ¿USTED ES EL SEÑOR VOLATA?!! ¡¡¿EL DUEÑO DE LA TIENDA DE BICIS?!!

¡EEEH! ¡ESTÁ BIEN, CLEFAIRAN, CLEFAIRIN! ¡NO HAY NADA QUE TEMER!
¿UH?
¡NO ES UN ENEMIGO!

POR CIERTO, ¿Y ESOS CLEFAIRY?
AH, ESO.

SUUP
SUUP

DESDE ENTONCES ME HE VUELTO MUCHO MÁS PRECAVIDO.
Y POR DESGRACIA ESTO PASA A MENUDO. LO SIENTO MUCHO.
¿DESDE ENTONCES? ¿SE REFIERE A SU SECUESTRO?
SÍ, EXACTAMENTE.

AUNQUE LO CIERTO ES QUE TAMBIÉN QUERÍAN CAPTURAR A MIS CLEFAIRY.
?!
¿POR QUÉ?

UHMMM... LA VERDAD ES QUE...
...YO TAMPOCO ESTOY SEGURO, PERO NO DEJABAN DE HABLAR DE LA LUNA Y LAS ESTRELLAS.

HAY UNA TEORÍA QUE DICE QUE CLEFAIRY VIENE DE LA LUNA. Y SU ESTADO PRE-EVOLUCIÓN, CLEFFA, ES UN POKÉMON ESTRELLADA.
NO SÉ POR QUÉ ME DABA LA SENSACIÓN DE QUE ESTABAN INTERESADOS EN ESA CO-NEXIÓN CON EL ESPACIO.
LA LUNA... LAS ES-TRELLAS... EL ESPA-CIO...
¡OTRA VEZ EL ESPA-CIO!
ADEMÁS QUERÍAN SONSACARME COSAS SOBRE CIUDAD VETUS-TA, PERO SI PENSABAN QUE IBA A SOLTAR LA LENGUA TAN FÁCIL-MENTE ESTABAN EQUIVOCADOS...
MIS CLEFAIRY SE ESCON-DIERON EN LA AZOTEA Y LOGRARON ESCAPAR.
SÍ, SE-ÑOR...
PERO FUI LI-BERADO GRACIAS A...
FAM FAM FAM FAM FAM

FAM FAM FAM FAM
EL HELI-CÓP-TE-RO...
DESDE AYER VA PASANDO CONTINUA-MENTE.
CLAC CLAC
CLAC CLAC
ESTÁN MUERTOS DE MIEDO.
¡¡SEÑOR VO-LATA, TENGO QUE CONTARLE ALGO IMPOR-TANTE!!
DASH

¡ME LLAMO PERLA!
¡¡LA ORGANIZACIÓN QUE LO SECUESTRÓ SE LLAMA EQUIPO GALAXIA...
...Y ME DISPONGO A IR HACIA EL LAGO VALOR A DETENER SUS PLANES!!

YA... ¡YA VEO!
CONSTRUIR EL UNIVERSO, ¿EH?
NADA MENOS... NO PUEDO NI IMAGINAR ALGO ASÍ.
PERO SEA COMO SEA ESTÁ CLARO QUE ALGO GORDO SE ESTÁ COCIENDO.
POR CIERTO, ¿ESE HELICÓPTERO VENDRÁ DEL EDIFICIO GALAXIA?
SÍ.
FAM
FAM
FAM
FAM
FAM

PROBA-
BLEMEN-
TE...
...ESTÁN EMPEZANDO LOS PREPARATIVOS PARA LANZAR LA BOMBA GA-
LÁCTICA.

SEGÚN EL SEÑOR FUEGO...
...LAS PIEZAS CONSTRUIDAS EN LA FORJA FUERON LLEVADAS AL EDI-
FICIO GALAXIA DE ROCAVELO.

ASÍ QUE LA BOMBA ESTARÁ LISTA Y ESPERANDO SU TURNO PARA ENTRAR EN ACCIÓN...

POR OTRO LADO, ESTE EDIFICIO DE VE-
TUSTA...
PUEDE QUE AQUÍ SE OCUPEN DE HACER LOS PREPARATIVOS, LOS AJUSTES DE LA BOMBA, EL ESTUDIO DEL LUGAR DE LANZAMIENTO, EL DESPLIEGUE DEL EQUIPO, EL TRANS-
PORTE...
HMMM...

¡ENTEN-
DIDO!
¡PERLA!
TÚ QUIERES LLEGAR AL LAGO VALOR LO ANTES POSIBLE, ¿VERDAD?
PAF

MUY BIEN, ¡ENTON-
CES VEN CONMI-
GO!
¡SÍ!

¡AQUÍ LA TIENES! CONSTRUIDA POR MÍ MISMO: ¡LA VOLATA DEFINITIVA!
¡¡UNA BICICLETA TÁNDEM!!

¡¡PEDALEANDO JUNTOS IREMOS EL DOBLE DE RÁPIDO!!
¡¿LOS DOS, SEÑOR VOLATA...?!
¡¡POR SUPUESTO!! ¡¡YO TAMBIÉN VOY!!

¡QUEDAN SOLO DOS DÍAS!
¡SI ATRAVESAMOS EL MONTE CORONA PASANDO POR PUEBLO CAELESTIS Y TOMAMOS LAS RUTAS 210, 215 Y 214 LLEGAREMOS AL LAGO VALOR!
CIUDAD VETUSTA
PUEBLO CAELESTIS
LAGO VALOR
RUTA 214
NO ES QUE NO VAYAS A LLEGAR A TIEMPO EN TU LUXRAY,
PERO SERÍA MEJOR LLEGAR ANTES Y EXAMINAR CON ANTELACIÓN EL TERRENO.
...
¡ENTENDIDO!
¡ENTONCES VAMOS!

ZUUM
ZAAAAAAAM

JUSTO AL EMPEZAR A PEDALEAR SE ALZARON DESDE EL HELIPUERTO DEL EDIFICIO GALAXIA DE VETUSTA...
FOAAAASH

LLEGAR LO ANTES POSIBLE...
KACHANC
LAS PALABRAS DEL DUEÑO DE LA TIENDA DE BICIS CONVENCIERON A PERLA.

COMO SI LES PISARAN LOS TALONES...
TRES VEHÍCULOS AÉREOS...
FU UU U UM

LOS TRES SE DIRIGÍAN A CIUDAD ROCAVELO.
SU MISIÓN: RECOGER LA BOMBA GALÁCTICA.

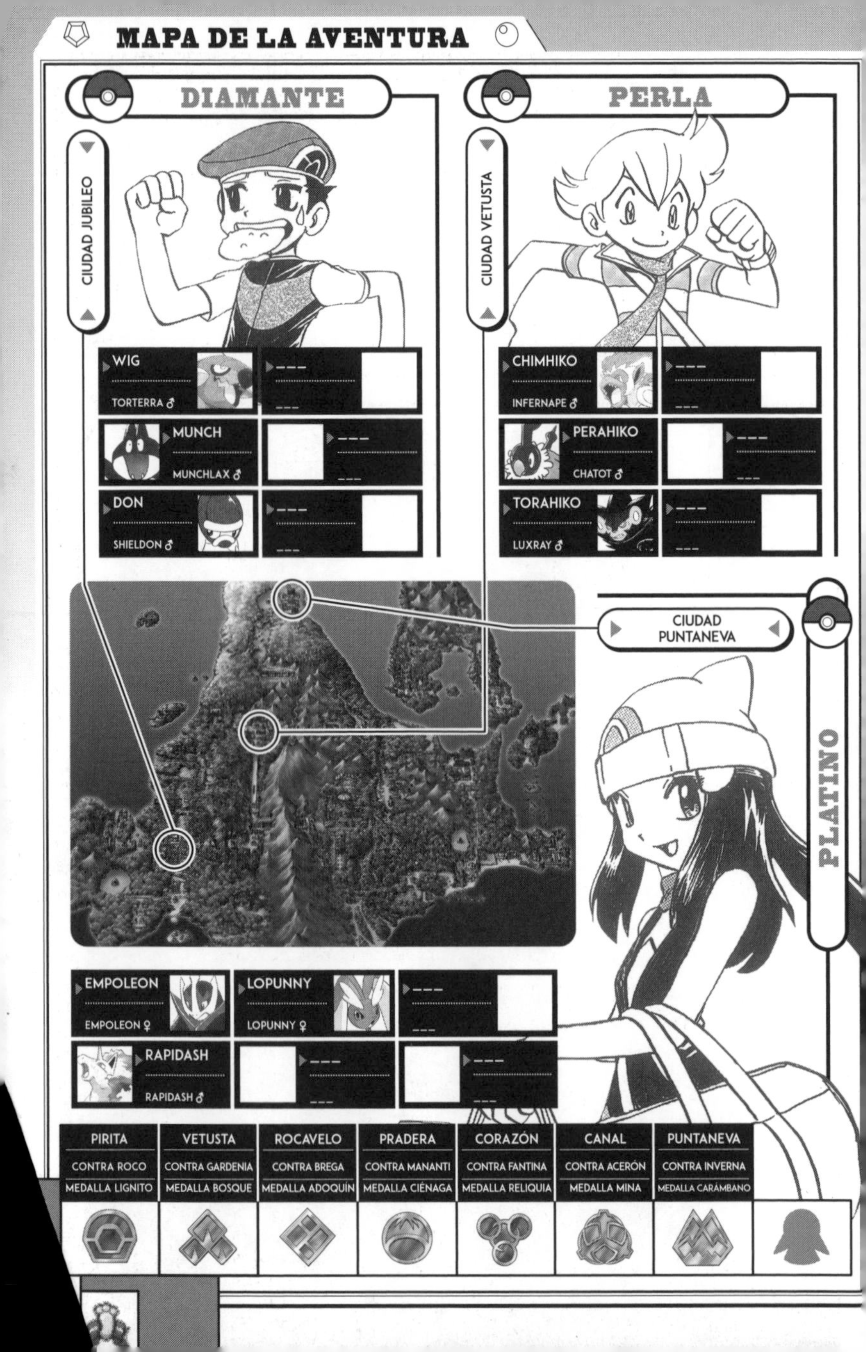

MAPA DE LA AVENTURA
DIAMANTE
CIUDAD JUBILEO
WIG
TORTERRA ♂
MUNCH
MUNCHLAX ♂
DON
SHIELDON ♂
PERLA
CIUDAD VETUSTA
CHIMHIKO
INFERNAPE ♂
PERAHIKO
CHATOT ♂
TORAHIKO
LUXRAY ♂
CIUDAD PUNTANEVA
PLATINO
EMPOLEON
EMPOLEON ♀
LOPUNNY
LOPUNNY ♀
RAPIDASH
RAPIDASH ♂
PIRITA
CONTRA ROCO
MEDALLA LIGNITO
VETUSTA
CONTRA GARDENIA
MEDALLA BOSQUE
ROCAVELO
CONTRA BREGA
MEDALLA ADOQUÍN
PRADERA
CONTRA MANANTI
MEDALLA CIÉNAGA
CORAZÓN
CONTRA FANTINA
MEDALLA RELIQUIA
CANAL
CONTRA ACERÓN
MEDALLA MINA
PUNTANEVA
CONTRA INVERNA
MEDALLA CARÁMBANO

POKéMON
DIAMANTE Y PERLA

¿Y CÓMO ES LA EDICIÓN ESPAÑOLA DE POKÉMON?

El manga de Pokémon lleva décadas siendo uno de los más populares en el mercado japonés, y por fin llega a España de mano de Norma Editorial. Por primera vez en castellano, los amantes de los Pokémon y los aspirantes a entrenadores podrán leer la que es, sin duda, la mejor adaptación en manga de una de las sagas de videojuegos más famosas del mundo.

En Japón esta serie ya supera ya los 50 tomos, ¡y lo que le queda! Pero como este manga era inédito en España, eso nos daba la oportunidad de presentar a los lectores una edición más cómoda y comprensible, organizada no solo por volúmenes consecutivos, sino también por sagas, las de los videojuegos originales.

Así que optamos por ordenar la serie con una doble numeración: por un lado, el número de volumen de la serie Pokémon, y por otro, un subnúmero que indica el volumen dentro de la saga. Es decir, que el tomo 11 de la edición española de *Pokémon* es también el tomo 3 de *Pokémon Adventures Rubí y Zafiro.*

El motivo es muy sencillo: de ese modo, si algún lector solo quiere comprarse (o empezar) por una saga concreta, puede hacerlo sin necesidad de adquirir otros tomos que, a priori, no le llaman tanto la atención.

Para que quede más claro, aquí tenéis la planificación de la serie:

VIDEOJUEGO	VOLUMEN DE LA COLECCIÓN MANGA	VOLUMEN DE NORMA
POKÉMON EDICIÓN ROJA/ POKÉMON EDICIÓN AZUL	POKÉMON ROJO, VERDE Y AZUL 1 Y 2	1 Y 2
POKÉMON EDICIÓN AMARILLA	POKÉMON AMARILLO 1 Y 2	3 Y 4
POKÉMON EDICIÓN ORO/ POKÉMON EDICIÓN PLATA/ POKÉMON EDICIÓN CRISTAL	POKÉMON ORO, PLATA Y CRISTAL 1 A 4	5 A 8
POKÉMON EDICIÓN RUBÍ/ POKÉMON EDICIÓN ZAFIRO	POKÉMON RUBÍ Y ZAFIRO 1 A 4	9 A 12
POKÉMON EDICIÓN ROJO FUEGO/ POKÉMON EDICIÓN VERDE HOJA	POKÉMON ROJO FUEGO Y VERDE HOJA 1 Y 2	13 Y 14
POKÉMON EDICIÓN ESMERALDA	POKÉMON ESMERALDA 1 Y 2	15 Y 16
POKÉMON EDICIÓN DIAMANTE/ POKÉMON EDICIÓN PERLA	POKÉMON DIAMANTE Y PERLA 1 A 5	17 A 21
POKÉMON EDICIÓN PLATINO	POKÉMON PLATINO 1 Y 2	22 Y 23
POKÉMON EDICIÓN ORO HEARTGOLD/ POKÉMON EDICIÓN PLATA SOULSILVER	POKÉMON ORO HEARTGOLD Y POKÉMON PLATA SOULSILVER 1 Y 2	24 Y 25
POKÉMON EDICIÓN NEGRA/ POKÉMON EDICIÓN BLANCA	POKÉMON NEGRO Y BLANCO 1 A 5	26 A 30

Y COMO SUELEN DECIR... ¡HAZTE CON TODOS!™

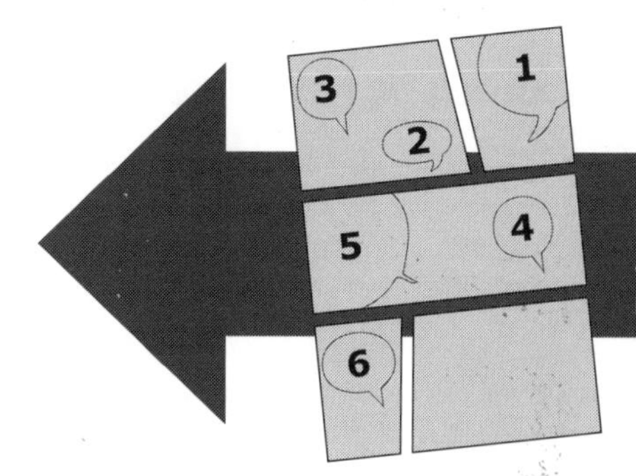

¡Atención!

Este manga se publica en sentido de lectura oriental, así que tienes que empezar a leer por la que sería la última página y seguir las viñetas de derecha a izquierda.

POKÉMON vol. 19
POKÉMON Diamante y Perla vol. 3
POCKET MONSTERS SPECIAL 34 y 35
by Hidenori KUSAKA, Satoshi YAMAMOTO

Original Japanese edition published by SHOGAKUKAN.
Spanish translation rights in Spain arranged with SHOGAKUKAN
through The Kashima Agency.

Norma Editorial, S.A. Passeig de Sant Joan, 7, principal.
08010 Barcelona. Tel.: 93 303 68 20 – Fax: 93 303 68 31.
E-mail: norma@normaeditorial.com
Traducción: Óscar Tejero (DARUMA Serveis Lingüístics, SL)
Corrección: Red Cameo
Realización técnica: Double Cherry
Depósito Legal: B 24438-2015
ISBN: 978-84-679-2516-6
Printed in the EU

www.NormaEditorial.com
www.normaeditorial.com/blogmanga/

D1300514